KURSBUCH, Lektion 1–8
Deutsch als Fremdsprache

Hueber Verlag

Für die Beratung und die hilfreichen Hinweise bei der Entwicklung des Lehrwerks danken wir
Dr. Andrea Geier, Deutschkurse bei der Universität München e. V., Deutschland

▶ 1|24 Die Inhalte der *Kursbuch-Audio-CD* finden Sie auch unter www.hueber.de/motive

Die Hörbeispiele zum *Audiotraining* finden Sie unter www.hueber.de/motive

Eine *Grammatikübersicht* und weiteres Material finden Sie unter www.hueber.de/ motive

5. 4. 3. | Die letzten Ziffern
2021 20 19 18 17 | bezeichnen Zahl und Jahr des Druckes.
Alle Drucke dieser Auflage können, da unverändert,
nebeneinander benutzt werden.
1. Auflage

Umschlaggestaltung: Sieveking · Agentur für Kommunikation, München
Zeichnungen: © Hueber Verlag/Mascha Greune
Layout und Satz: Sieveking · Agentur für Kommunikation, München
Druck und Bindung: Firmengruppe APPL, aprinta druck GmbH, Wemding
Printed in Germany
ISBN 978-3-19-001880-2

Art. 530_18362_001_03

Vorwort

Liebe Lernende!

MOTIVE ist ein kompaktes Lehrwerk. Es soll Sie in möglichst kurzer Zeit zu den Niveaustufen A1, A2 und B1 des Europäischen Referenzrahmens führen.
Das Erlernen einer Fremdsprache macht Freude, vor allem am Beginn eines Kurses. Die meisten Lernenden erleben aber auch Phasen, in denen das Lernen nicht so leicht fällt. Wir möchten Ihnen helfen, Ihre hohe Anfangsmotivation aufrechtzuerhalten.
Das Bedürfnis, Texte in der Fremdsprache zu verstehen, und das Bedürfnis, sich in der fremden Sprache mitzuteilen, sind wohl die wichtigsten Motive für das Fremdsprachenlernen. Sie sind der Motor des Fremdsprachenerwerbs. MOTIVE versucht, diesen Motor am Laufen zu halten. Dies geschieht vor allem über interessante Texte und Situationen sowie über Aufgaben, bei denen Sie über das sprechen und schreiben, was Sie betrifft.

Aufbau des Lehrwerks

Das Lehrwerk besteht aus dem Kursbuch, Audio-CDs zum Kursbuch, dem Arbeitsbuch mit MP3-Audio-CD sowie Übungen und Aufgaben im Internet.
Acht kompakte Lektionen führen Sie auf das Niveau A1, zehn Lektionen auf das Niveau A2 und zwölf weitere Lektionen auf das Niveau B1.
Die Aufgaben und Übungen im Arbeitsbuch und im Internet folgen der Progression im Kursbuch. So können Sie nach den Präsentations- und Übungsphasen im Kurs selbstständig zu Hause weiter üben. Auch die Lösungen für die Arbeitsbuchübungen finden Sie im Internet.

Aufbau der Lektionen

Die acht Lektionen sind jeweils einem Lektionsthema gewidmet. Jede Lektion besteht aus einer Einstiegsseite, drei Doppelseiten mit Texten, Aufgaben und Übungen, sowie einer Übersichtsseite mit der Grammatik und den wichtigsten Redemitteln aus der Lektion.
Auf den Einstiegsseiten finden Sie kurze Modelltexte, die Ihre Erfahrungen zum jeweiligen Lektionsthema aktivieren sollen. Auf der Basis dieser Modelltexte schreiben Sie eigene Texte und üben dabei Strukturen und Wortschatz aus den vorhergegangenen Lektionen.
Die drei Doppelseiten sind unterschiedlichen Aspekten des Lektionsthemas gewidmet.
Auf jeder Doppelseite steht ein interessanter Hör- oder Lesetext im Zentrum der Spracharbeit.
Die Übungen davor und danach präsentieren und trainieren Redemittel, Grammatik und Wortschatz.
Alle Aktivitäten bleiben dabei im Kontext des Themas. So wird kommunikative, formfokussierte Spracharbeit im Unterricht möglich.

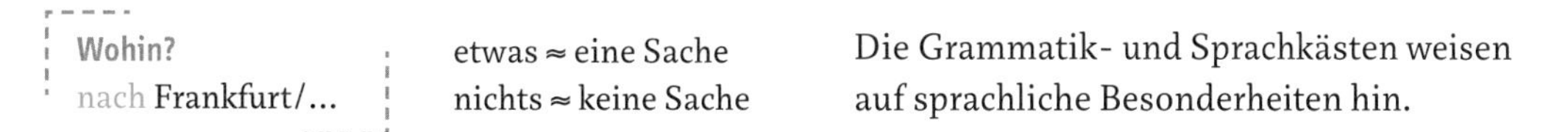

Die Grammatik- und Sprachkästen weisen auf sprachliche Besonderheiten hin.

▶ 1|24 Dieses Symbol verweist auf einen Hörtext. Auf den Audio-CDs zum Kursbuch finden Sie auch viele Lesetexte in einer Hörtextversion.

Dieses Symbol verweist auf das Audiotraining. Die Hörbeispiele finden Sie unter www.hueber.de/motive

AB Einer Doppelseite im Kursbuch entspricht eine Doppelseite mit Übungen im Arbeitsbuch. Hinweise auf die entsprechenden Übungen und Aufgaben finden Sie sowohl im Kursbuch als auch im Arbeitsbuch.

Viel Motivation und Erfolg beim Lernen
wünschen Ihnen Autoren und Verlag

Inhalt

Hallo!

1 Im Deutschkurs

▶ 1|2 **a** **Hören Sie und lesen Sie.**

b **Lesen Sie und schreiben Sie.**

1 ● Hallo, ich heiße _Juan Oliveira_. Und wie heißen Sie?
■ Mein Name ist ______________.

2 ■ Guten Tag. Ich heiße _Dana Sahin_. Und wie heißen Sie?
▲ Mein Name ist ______________.

3 ▲ Ich heiße ______________. Und Sie?
◆ Ich bin ______________.

▶ 1|3 **c** **Hören Sie und vergleichen Sie.**

d **Sprechen Sie im Kurs wie in b.**

AB 2 Wie schreibt man das?

▶ 1|4 a **Hören Sie die Buchstaben und sprechen Sie nach.**

A	B	C	D	E	F	G	H	I	J	K	L	M	N	O
(A)	(Be)	(Ce)	(De)	(E)	(eF)	(Ge)	(Ha)	(I)	(Jot/Je)	(Ka)	(eL)	(eM)	(eN)	(O)
P	**Q**	**R**	**S**	**T**	**U**	**V**	**W**	**X**	**Y**	**Z**	**Ää**	**Öö**	**Üü**	**ß**
(Pe)	(Qu)	(eR)	(eS)	(Te)	(U)	(Vau)	(We)	(iks)	(Ypsilon)	(Zett)	(A-Umlaut)	(O-Umlaut)	(U-Umlaut)	(Es-Zett)

▶ 1|5 b **Hören Sie und ergänzen Sie.**

~~Yoko Miura~~ Elmer Nilsson Dana Sahin

1 ● Ich heiße Yoko Miura.
■ Buchstabieren Sie bitte.
● Ypsilon – O – Ka – O eM – I – U – eR – A.

2 ● Mein Name ist ______________.
■ Buchstabieren Sie bitte.
● De – A – eN – A ______________.

3 ● Ich heiße ______________.
■ Buchstabieren Sie bitte.
● ______________ eN – I – eL – eS – eS – O – eN.

c **Partnerarbeit. Wie heißen Sie? Buchstabieren Sie. Sprechen Sie wie in b.**

● Wie heißen Sie?
■ ...

● Buchstabieren Sie bitte.
■ ...

AB 3 Guten Tag, auf Wiedersehen

▶ 1|6 a **Hören Sie und ordnen Sie zu.**

a ~~Guten Morgen.~~ b Tschüs. c Auf Wiedersehen. d Hallo! e Guten Abend. f Gute Nacht. g Guten Tag.

A a B ☐ C ☐ D ☐ E ☐ F ☐ G ☐

▶ 1|7 b **Hören Sie noch einmal und sprechen Sie nach.**

▶ 1|8 c **Was passt? Hören Sie und schreiben Sie.**

Situation 1: Guten Morgen.
Situation 2: ______________
Situation 3: ______________
Situation 4: ______________
Situation 5: ______________
Situation 6: ______________

d **Partnerarbeit. Zeigen Sie ein Bild in a und sprechen Sie.**

1 ● Guten Tag, Frau ...
■ Guten Tag, Herr ...

2 ● Hallo, ...
■ Hallo, ...

3 ● Auf Wiedersehen, Herr ...
■ Auf Wiedersehen, Frau ...

4 ● Tschüs, ...
■ Tschüs, ...

Redemittel

sich vorstellen

Wie heißen Sie?
Ich heiße …
Mein Name ist …
Ich bin …

sich begrüßen

Hallo!

Guten Morgen.

Guten Tag.

Guten Abend.

sich verabschieden

Auf Wiedersehen.

Tschüs.

Gute Nacht.

nachfragen

Buchstabieren Sie bitte.

Wie? Woher? Wann?

Internationale und deutsche Wörter

a **Sehen Sie die Fotos an. Schreiben Sie.**

A Geldautomat, B Hallo, C ...

b **Wie heißt ... auf Deutsch? Lesen Sie und ergänzen Sie.**

Gitarre ~~Kaffee~~ Post

- Wie heißt [Kaffee] auf Deutsch?
- Kaffee. Wie heißt [Posthorn] auf Deutsch?
- ______. Und wie heißt [Gitarre] auf Deutsch?
- ______.

c **Partnerarbeit. Sprechen Sie.**

Film Telefon Banane Baby Radio

1  2  3  4  5

Ich glaube, das heißt Radio.

Sie lernen

- *sich vorstellen*
- *Uhrzeit, Tageszeit, Tag angeben*
- *Telefonnummer sagen*
- *sagen, wann man frei hat*
- *nach Bedeutung fragen*

Grammatik

- Konjugation Präsens *kommen, heißen, sein, haben*
- Personalpronomen im Nominativ
- bestimmter/unbestimmter Artikel, Negativartikel im Nominativ
- Präposition *(wann?) am*
- Aussagesatz, Fragesatz mit Fragewort, Ja/Nein-Frage
- Negation *nicht/kein*
- *ja/nein/doch*

Wortschatz

- Zahlen (1) 1–12

AB **A1 Guten Tag, ich heiße ... (Comic, Teil 1)**

▶ 1|9 **a Hören Sie und lesen Sie.**

b Wie heißen die Personen? Schreiben Sie.

Paola Ramoni

______

______

______

	heißen
ich	heiße
du	heißt
Sie	heißen

c Gruppenarbeit. Sprechen Sie wie im Beispiel.

1 • Hallo. Ich heiße Paola. Wie heißt du?
▪ Ich heiße Frank und das ist Petra.

2 • Guten Tag, mein Name ist Paola Ramoni. Wie heißen Sie?
▪ Ich heiße Frank Berger und das ist Frau Fischer.

AB **A2 Die SMS (Comic, Teil 2)**

informell: du → Vorname *Pietro*
formell: Sie → Familienname *Ganzoli*

▶ 1|10 **a Hören Sie und lesen Sie.**

b Was ist richtig? Kreuzen Sie an.

1 Herr Berger Paola ist neu hier. 2 Die SMS ist von Jakob. Ha-Ra Kim.

▶ 1|11 **c Hören Sie und sprechen Sie nach.**

0 null 1 eins 2 zwei 3 drei 4 vier 5 fünf 6 sechs 7 sieben 8 acht 9 neun

1|12 **d** **Hören Sie und ordnen Sie zu. Sprechen Sie dann.**

a 0664 832 570 — 1 Christina Richter
b 0664 822 934 — 2 Frau Grasmuck
c 0644 369 411 — 3 Christoph und Anna

Wie ist die Telefonnummer von ...?
0664 832 570 ist die Telefonnummer von ...
Die Telefonnummer von ... ist ...

e **Partnerarbeit. Schreiben Sie drei Namen und drei Telefonnummern. Sprechen Sie wie in d.**

Andrea 0811 24135

Handy

AB A3 Die SMS kommt aus ... (Comic, Teil 3)

1|13 **a** **Hören Sie und lesen Sie.**

b **Was ist richtig? Kreuzen Sie an.**

1 Die SMS kommt ☐ aus Korea. ☐ aus Deutschland. 2 Ha-Ra ist um 9:00 Uhr ☐ in Korea. ☐ im Café.

1|14 **c** **Ergänzen Sie die Dialoge. Hören Sie dann und vergleichen Sie.**

Brasilien  China  Deutschland Ägypten

	Position 2	
Woher	kommst	du?
Ich	komme	aus ...

1 • Woher kommst du, Mailin?
■ Ich komme aus __________.

2 • Woher kommen Sie, Frau Said?
■ Ich komme aus __________.

3 • Woher kommt ihr?
■ Wir kommen aus __________.

4 • Und woher kommen Sie?
■ Wir kommen aus __________.

1 Mailin
2 Frau Said 
3 Monika und Paul 
4 Herr und Frau Peres 

d **Woher kommt ...? Ordnen Sie zu.**

1 • Woher kommt Herr Peres? — a ■ Ich glaube, sie kommen aus Deutschland.
2 • Woher kommt Mailin? — b ■ Ich glaube, er kommt aus Brasilien.
3 • Und woher kommen Monika und Paul? — c ■ Ich glaube, sie kommt aus China.

	kommen
ich	komme
du	kommst
er/sie	kommt
wir	kommen
ihr	kommt
sie/Sie	kommen

e **Ordnen Sie den Personen die Länder zu und sprechen Sie wie in d.**

China (1) Ägypten (2) Spanien (3) Deutschland (4)

Herr und Frau Wang [1] Michael und Lisa ☐ Farid ♂ ☐ Frau Said ☐
Herr Sola ☐ Frau Morales ☐ Alba ♀ und Carlos ♂ ☐ Kim ♂ und Lu ♀ ☐

f **Rollenspiel. Sprechen Sie mit den Namen aus e.**

• Hallo, wie heißt du / heißen Sie? ■ ... • Woher kommst du / kommen Sie?

Frau Wang Lisa

B1 Wie spät ist es in San Francisco?

a Lesen Sie und ordnen Sie zu.

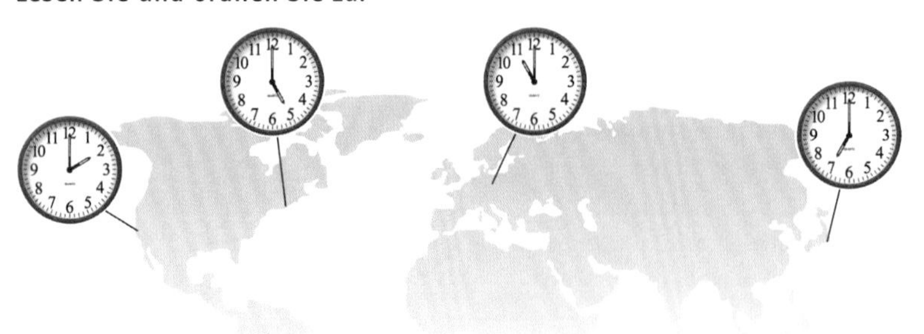

10:00	Es ist zehn Uhr.
11:00	Es ist elf Uhr.
12:00	Es ist zwölf Uhr.

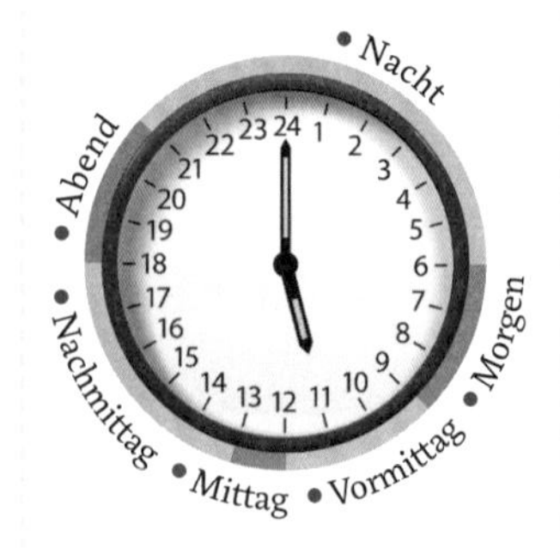

Es ist Mittag.

In Berlin ist es elf Uhr. Es ist Vormittag.

1 Wie spät ist es in New York? c
2 Wie spät ist es in San Francisco?
3 Wie spät ist es in Tokio?

a Es ist zwei Uhr. Es ist Nacht.
b Es ist sieben Uhr. Es ist Abend.
c ~~Es ist fünf Uhr. Es ist Morgen.~~

▶ 1|15 **b Hören Sie und vergleichen Sie.**

c Schreiben Sie Fragen wie im Beispiel.

Berlin: 8:00 Uhr / Abend Kapstadt +1 Bangkok +6
Lima −6 Mexico City −7 Honolulu −11

In Berlin ist es acht Uhr. Es ist Abend. Wie spät ist es in Kapstadt? Wie ...

	Position 2	
Wie spät	ist	es in Berlin?
Es	ist	elf Uhr.
In Berlin	ist	es elf Uhr.

d Partnerarbeit. Wie spät ist es in ...? Sprechen Sie.

- ● In Berlin ist es acht Uhr. Es ist Abend. Wie spät ist es in Kapstadt?
- ■ In Kapstadt ist es ... Wie spät ist es in ...?
- ● ...

AB **B2 Martin oder Martina?**

a Sehen Sie das Bild an. Lesen Sie. Was ist richtig? Kreuzen Sie an.

Café Moritz BERLIN

Montag 11:00

Heute ist Montag. Martin hat am Montag und am Dienstag frei. Ich glaube, er kommt morgen.

Martina? *Martin?*

Eva *Kurt*

1 Wo ist das Café?	In Berlin.	In San Francisco.
2 Wie spät ist es in Berlin? Es ist elf Uhr ...	am Vormittag.	in der Nacht.
3 Wann hat Martin frei?	Am Montag und Dienstag.	Am Morgen.

Wann?
am Montag / Dienstag / ...
auch: am Morgen / Vormittag / Nachmittag / am Abend, *aber:* in der Nacht

1|16 **b** **Hören Sie. Was ist richtig? Kreuzen Sie an.**

Martin kommt ☐ am Montag. ☐ nicht. ☐ am Dienstag.

1|16 **c** **Hören Sie noch einmal und ergänzen Sie.**

Berlin ~~Montag~~
zwei Uhr
am Vormittag
San Francisco
am Dienstag

1 In Berlin ist es _Montag_ und es ist elf Uhr ______.
2 Eva glaubt, Martin kommt ______.
3 Martin ist nicht in Deutschland, er ist in ______.
4 In San Francisco ist es Nacht. Es ist ______.
5 Martina ist am Dienstag in ______.

d **Zwei SMS am Dienstag. Wer schreibt? Ergänzen Sie.**

Kurt Eva Roland Martina

A
Hallo Eva,
Roland und ich sind am Dienstag in Berlin. Wir sind um acht Uhr im Café Moritz.
Seid ihr auch dort?
______

B
Hallo Martina,
Kurt ist morgen nicht in Berlin. Kurt ist in Frankfurt, aber ich bin da. Wann bist du im Café? Um acht Uhr am Morgen oder am Abend?
______

e **Unterstreichen Sie die Formen von *sein* in d und ergänzen Sie die Tabelle.**

	sein
ich	_bin_
du	______
er/es/sie	______
wir	______
ihr	______
sie/Sie	_sind_

AB B3 Die Wochentage

1|17 **a** **Ordnen Sie die Wochentage. Hören Sie und sprechen Sie nach.**

☐ Dienstag ☐ Donnerstag ☐ Samstag [1] Montag ☐ Sonntag ☐ Freitag ☐ Mittwoch

b **Partnerarbeit. Fragen und antworten Sie.**

- Heute ist Dienstag. Was ist morgen?
- ▪ Mittwoch. Heute ist Samstag. Was ist morgen?
- ...

AB B4 Wann hast du frei?

1|18 **a** **Lesen Sie und ergänzen Sie.**
Hören Sie dann und vergleichen Sie.

1 • Wann _hast_ du frei?
▪ Am Montag.

2 • ______ du am Freitag frei, Lorenz?
▪ Nein leider, am Freitag ______ ich nicht frei.

3 • ______ ihr am Samstag frei?
▪ Flora ______ frei, wir ______ leider nicht frei.

	Position 2	
Wann	hast	du frei?
Hast	du	morgen frei?

Ja (, ich habe frei.)
Nein (, ich habe nicht frei.)

	haben
ich	habe
du	hast
er/sie	hat
wir	haben
ihr	habt
sie/Sie	haben

b **Gruppenarbeit. Notieren Sie drei Wochentage. Da haben Sie frei. Wer hat auch frei? Fragen Sie im Kurs (A). Sprechen Sie dann (B).**

A • Hast du am Samstag frei?
▪ Ja.
• Habt ihr am ...?

B • Kati und ich, wir haben am Dienstag frei.

AB C1 Wie schreibt man das?

▶ 1|19 **a** **Hören Sie und sprechen Sie nach.**

1 • CD 2 • Foto 3 • Stuhl 4 • Fenster 5 • Kugelschreiber 6 • Papier 7 • Buch
8 • Bleistift 9 • Radiergummi 10 • Lampe 11 • Heft 12 • Tisch

• der Stuhl
• das Papier
• die Lampe

▶ 1|20 **b** **Hören Sie und ergänzen Sie.**

1 • Wie heißt das auf Deutsch?
■ Kugelschreiber, der Kugelschreiber.

2 • Entschuldigung, wie heißt das auf Deutsch?
■ ___________, die ___________.
• Und wie schreibt man das?
■ L-A-M-P-E.

3 • Wie heißt das auf Deutsch?
■ ___________, das ___________.
• Das Wort kenne ich nicht.
Wie schreibt man das?
■ Pe - A - Pe - I - E - eR.

▶ 1|21 **c** ***der, das* oder *die*? Ordnen Sie die Wörter aus a zu. Hören Sie dann und vergleichen Sie.**

•	•	•
der Stuhl	das ...	die ...

d **Partnerarbeit. Sehen Sie das Bild in a an. Decken Sie die Wörter in a und c ab. Sprechen Sie wie im Beispiel.**

• Wie heißt Nummer 3 auf Deutsch?
■ Stuhl, der Stuhl.
• Richtig. Wie heißt Nummer 5 auf Deutsch?
■ ..., d...

Wie heißt Nr. ... /das auf Deutsch?
Wie schreibt man das?
Das Wort kenne ich nicht.

AB C2 Was ist das?

▶ 1|22 **a** **Hören Sie und ergänzen Sie.**

• ein Bleistift • ein Heft • eine CD

1 • Das ist eine CD.
■ Eine CD? Ach ja, richtig.

2 • Was ist das?
■ Ich glaube, das ist ___________.

3 • Und das? Was ist das? ___________?
■ Ja richtig, ___________.

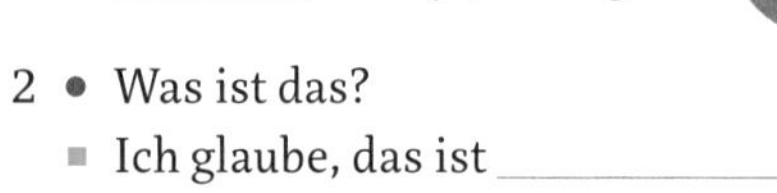

b **Ordnen Sie die Wörter aus 1a.**

• ein	• ein	• eine
	Foto	CD
...		

ein • Bleistift
ein • Heft
eine • CD

c **Partnerarbeit. Was ist das? Sprechen Sie.**

- Nummer 1. Was ist das?
- Ich glaube, das ist ein Tisch.
- Ein Tisch? Ach ja, richtig. Und Nummer …? Was ist das? Ein …?
- Ja richtig, ein …

Da ist ~~nicht ein~~ kein • Stuhl.
Da ist ~~nicht ein~~ kein • Heft.
Da ist ~~nicht eine~~ keine • Gitarre.

AB C3 Da ist kein …

a **Schreiben Sie Sätze wie im Beispiel.**

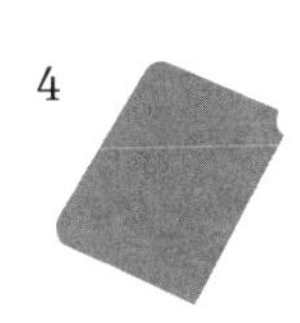

1 • Lampe – • Stuhl – • Gitarre

Da ist eine Lampe, da ist ein Stuhl, aber da ist keine Gitarre.

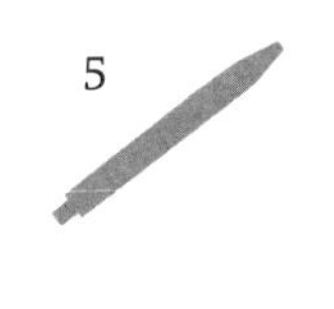

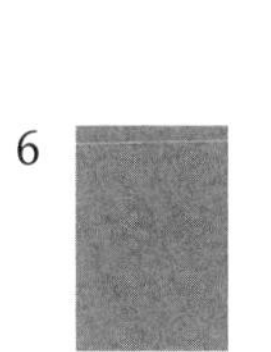

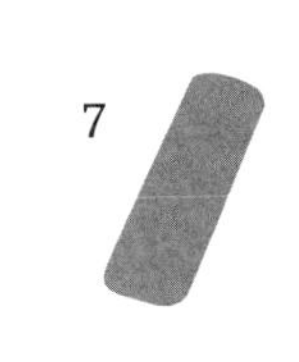

4 • Fenster – • Stuhl – • Tisch

2 • Bus – • Taxi – • Auto

5 • Banane – • Hamburger – • Pizza

3 • Radiergummi – • Kugelschreiber – • Bleistift

6 • Buch – • CD – • Heft

b **Partnerarbeit. Ich glaube, da ist *kein-* … Sprechen Sie.**

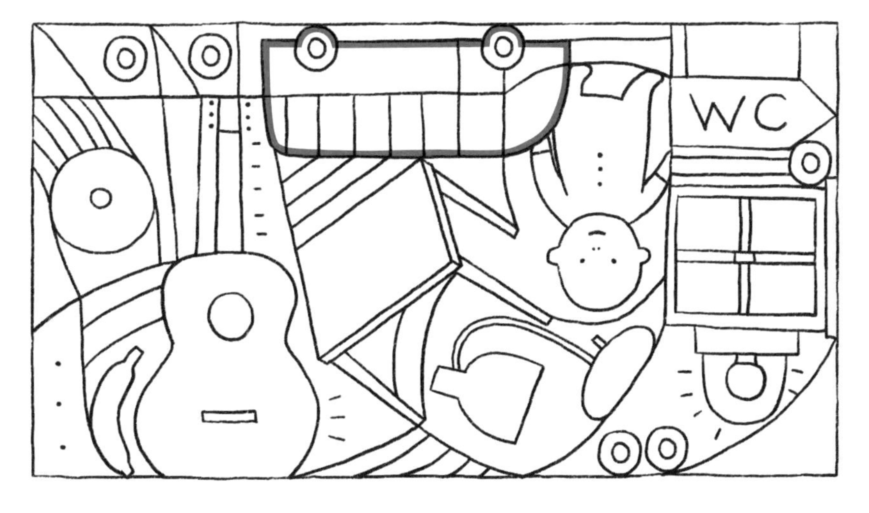

• Fenster • CD • Baby • Pizza • Museum • Banane • Heft • WC • Lampe • Kugelschreiber • Tisch • Gitarre • Bus • Auto • Stuhl • Polizei • Buch

- Ich glaube, da ist kein Bus.
- Doch, da ist ein Bus. Ich glaube, da ist kein Museum.
- Ja richtig, da ist kein Museum.

Ich glaube, da ist kein …
Doch, da ist ein …

Grammatik

Verb

Präsens

	kommen	heißen
ich	komme	heiße
du	kommst	heißt
er/es/sie	kommt	heißt
wir	kommen	heißen
ihr	kommt	heißt
sie/Sie	kommen	heißen

Präsens – besondere Verben

	sein	haben
ich	bin	habe
du	bist	hast
er/es/sie	ist	hat
wir	sind	haben
ihr	seid	habt
sie/Sie	sind	haben

Nomen

Artikel – Nominativ Singular

	bestimmter Artikel	unbestimmter Artikel	Negativartikel
Singular			
• maskulin	der Bleistift	ein Bleistift	kein Bleistift
• neutral	das Heft	ein Heft	kein Heft
• feminin	die Lampe	eine Lampe	keine Lampe

Präposition

temporal *(wann?)* – *am*

am Montag/...

Satz

Aussagesatz und Fragesatz

		Position 2	
Aussagesatz	Ich Es In Berlin	heiße ist ist	Paola Romani. drei Uhr. es elf Uhr.
Fragesatz mit Fragewort	Wie Woher Wann	heißen kommst hast	Sie? du? du frei?
Ja/Nein-Frage	Hast	du	am Montag frei?

Negation – *nicht, kein-*

Ich habe frei.	Ich habe nicht frei.
Da ist ein Bus.	Da ist kein Bus.

ja/nein/doch

Hast du morgen frei?	Ja. / Ja, ich habe frei. Nein. / Nein, ich habe nicht frei.
Da ist kein Bus.	Doch, da ist ein Bus.

Redemittel

sich vorstellen

Wie heißt du / heißen Sie?
Ich heiße / Mein Name ist / Ich bin ...
Woher kommst du / kommen Sie?
Ich komme aus ...

andere vorstellen

Das ist Frau ... / Herr ... / ...
Woher kommt/kommen ...?
Er/Sie kommt/kommen aus ...

die Telefonnummer sagen

Wie ist die Telefonnummer von ...?
... ist die Telefonnummer von ...
Die Telefonnummer von ... ist ...

Uhrzeit, Tageszeit, Tag angeben

Wie spät ist es?
Es ist neun/... Uhr.
Es ist elf Uhr / ... am Vormittag / am ... / in der Nacht.
Heute/Morgen ist Montag/...

sagen, wann man frei hat

Wann hast du / habt ihr / haben Sie frei?
Hast du / Habt ihr / Haben Sie am ... frei?
Ja, ich habe am Montag / wir haben morgen/... frei.
Nein, am ... habe ich nicht frei.

nach der Bedeutung fragen

Wie heißt das auf Deutsch?
Das Wort kenne ich nicht. Wie schreibt man das?
Was ist das?
Ich glaube, das ist ein/eine ...
Ja, das ist ein/eine ... / Nein, das ist kein/keine ...
Doch, das ist ein/eine ...

nützliche Sätze

Tut mir leid.
Das ist richtig/falsch.
Entschuldigung.
Das ist ein/eine ...

Wie gut kennst du ...?

Bekannte in ...

a Kennen Sie Personen im Ausland? Wie gut kennen Sie die Personen? Schreiben Sie wie im Beispiel.

nicht gut ★
gut ★★
sehr gut ★★★

Wer? Astrid.
Wo? Lissabon.
Wie?
Sehr gut.

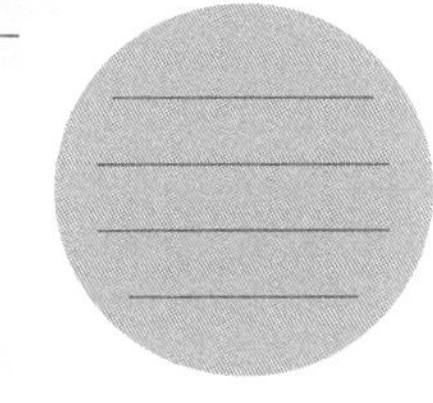

b Wie gut kennt Susanne ...? Lesen Sie. Sehen Sie die Fotos an und ergänzen Sie dort.

Susanne: Marianne ist jetzt in Brasilien, in Rio de Janeiro. Ich kenne Marianne sehr gut. Wir skypen oft. Gernot und Silvia sind in Luxemburg. Ich kenne Gernot nicht gut, Silvia kenne ich gut. Silvia und ich schreiben SMS oder wir telefonieren. Andrea ist jetzt zehn Tage in Tokio, in Japan. Ich kenne Andrea sehr gut. Wir schreiben oft E-Mails.

c Schreiben Sie Sätze über die Personen in a.

Astrid ist jetzt in Lissabon. Ich kenne Astrid sehr gut. Wir skypen oft.
... sind in ... Ich kenne ... nicht gut.
Wir telefonieren oder skypen ... Wir schreiben SMS und E-Mails.

d Partnerarbeit. Lesen Sie die Sätze aus c und sprechen Sie.

Astrid ist jetzt in Lissabon. Ich kenne Astrid sehr gut. Wir skypen oft ...

Sie lernen

- *über Vorlieben sprechen*
- *über die Familie sprechen*
- *über den Beruf sprechen*
- *über das Alter sprechen*

Grammatik

- Inversion
- Konjugation *arbeiten*
- Genitiv-*s* bei Namen
- Possessivartikel im Nominativ
- Plural von Nomen im Nominativ (1)
- Wortbildung *-in*

Wortschatz

- Freizeitaktivitäten
- Adjektive
- Zahlen (2)

AB A1 „Du und ich" – das Fernsehquiz

a Lesen Sie die Sätze und ergänzen Sie.

Amelie Bogner

Sven Larsson

Schönen guten Abend, hier ist „Du und ich". Das Fernsehquiz für die ganze Familie.

Tennis George Clooney ~~klassische Musik~~ wandert Montag Comics

		richtig	falsch
Satz 1:	Amelie Bogner findet klassische Musik gut.		
Satz 2:	Amelie Bogners Lieblingsschauspieler ist ________.		
Satz 3:	Amelie Bogner spielt gern ________.		
Satz 1:	Sven Larssons Lieblingstag ist der ________.		
Satz 2:	Sven Larsson ________ gern.		
Satz 3:	Sven Larsson findet ________ toll.		

▶ 1|23 **b Hören Sie das Quiz. Sind die Sätze in a richtig oder falsch? Kreuzen Sie an.**

▶ 1|23 **c Was passt? Hören Sie noch einmal und ergänzen Sie.**

1 Sven Larsson hat _____ Antworten richtig. Er hat _____ Punkte.
2 Amelie Bogner hat _____ Antworten richtig. Sie hat _____ Punkte.

AB A2 Kochst du gern?

▶ 1|24 **a Ordnen Sie die Wörter zu. Hören Sie dann und vergleichen Sie.**

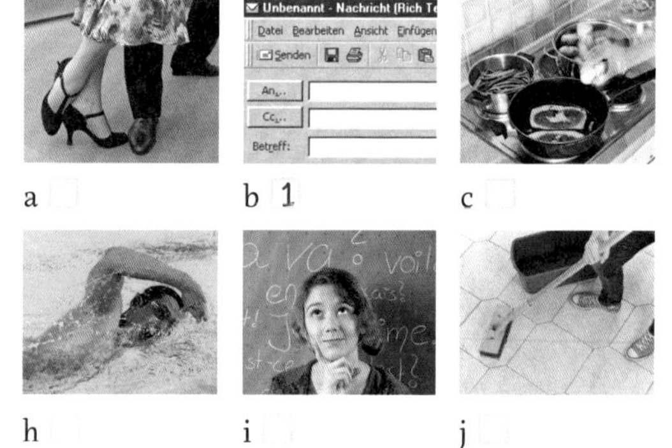

a ☐ b 1 c ☐ d ☐ e ☐ f ☐ g ☐

h ☐ i ☐ j ☐

1 ~~E-Mails schreiben~~ 2 tanzen 3 im Internet surfen
4 Sprachen lernen 5 Tennis spielen 6 arbeiten
7 schwimmen 8 wandern 9 kochen 10 Hausarbeit machen

▶ 1|25 **b Was ist richtig? Was glauben Sie? Ergänzen Sie. Hören Sie dann und vergleichen Sie.**

Kochen wir Nein Spielst koche Ja

1 • Ich ________ gern. ________ Sie auch gern, Herr Huber?
▪ ________, ich koche nicht gern.

Frau Mayer Herr Huber

2 • ________ du Tennis, Linda?
▪ ________, sehr gern, du auch?
• Ja, dann spielen ________ am Freitag, gut?

Linda Niko

c **Partnerarbeit. Was machen Sie gern, was machen Sie nicht gern? Sprechen Sie mit den Wörtern aus a und schreiben Sie dann „Wir"-Sätze.**

- Ich tanze gern, du auch?
- Ja, ich tanze auch gern. Surfst du gern im Internet?
- Nein, ich surfe nicht gern im Internet.

Maria und ich tanzen gern. Wir ...

	Position 2	
Ich	surfe	gern im Internet.
Ja, ich	surfe	auch gern im Internet.
Nein, ich	surfe	nicht gern im Internet.

	arbeiten
ich	arbeite
du	arbeitest
er/sie	arbeitet
wir	arbeiten
ihr	arbeitet
sie/Sie	arbeiten

AB **A3 Tennis finde ich toll ...**

1 | 26 a **Ordnen Sie die Adjektive zu. Hören Sie und sprechen Sie nach.**

gut langweilig ~~interessant~~ toll schön schrecklich

☺ interessant ______ ☹ ______

b **Lesen Sie die Wörter. Schreiben Sie dann Sätze wie im Beispiel.**

Jazz Comics Hausarbeit Fernsehen Tennis Mathematik Horrorfilme Österreich Musik ...

C _ m _ _ s finde ich toll.

	Position 2	
Ich	finde	Tennis interessant.
Tennis	finde	ich interessant.

c **Partnerarbeit. Lesen Sie die Sätze, raten Sie und sprechen Sie.**

- Ich glaube, Comics findest du toll.
- Richtig. Wie findest du Comics?
- Langweilig.

Wie findest du ...?
Ich glaube, du findest ... / ... findest du ...
Richtig. / Falsch.

AB **A4 Was ist dein Lieblingsfilm?**

a **Schreiben Sie Wörter: *der, die* oder *das* Lieblings...?**

• Buch • Land • Stadt • Film • Zahl • Schauspieler • Wochentag • Tageszeit • Sportler • Schauspielerin

das Lieblingsbuch, die Lieblingsstadt, ...

Wer ...? Was ...?

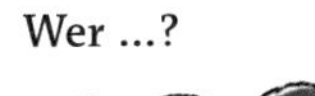

1 | 27 b **Hören Sie und ergänzen Sie.**

meine Ihre mein Ihre dein meine

1
- Wie findest du Brad Pitt?
- Gut, aber er ist nicht ______ Lieblingsschauspieler.
- Wer ist ______ Lieblingsschauspieler?
- Jack Nicholson.

2
- Was ist ______ Lieblingszahl?
- Wie bitte? ... Was meinen Sie?
- ______ Lieblingszahl ist 12.
  Was ist ______ Lieblingszahl?
- ______ Lieblingszahl?
  Das weiß ich nicht.

c **Ordnen Sie die Wörter aus a zu.**

mein Buch	dein Buch	Ihr Buch
• mein/dein/Ihr	• mein/dein/Ihr	• meine/deine/Ihre
...	Lieblingsbuch	...

d **Partnerarbeit. Fragen Sie und antworten Sie mit den Wörtern aus a.**

- Meine Lieblingsstadt ist Berlin.
  Was ist deine Lieblingsstadt?
- ...

AB **B1 „Weltfamilien“**

a Was glauben Sie? Wer ist wer? Ordnen Sie zu.

A

B

C

1 Adia Shalinkova ist verheiratet. Sie lebt in Zürich. Ihre Familie lebt in Kasachstan.
2 Karoline Schneider wohnt und arbeitet in Zürich. Sie ist geschieden und hat zwei Kinder.
3 Joseph Aigner ist Bauer von Beruf. Seine Frau Vanida kommt aus Thailand. Sie leben in Bayern. Josephs Familie ist klein, Vanidas Familie ist sehr groß: Sie hat fünf Geschwister.

▶ 1|28 **b Lesen Sie und hören Sie. Wer lebt in „Weltfamilien“? Kreuzen Sie an.**

Adia Shalinkova   Karoline Schneider   Joseph Aigner

„Weltfamilien“

Karoline Schneider wohnt und arbeitet in Zürich. Sie ist geschieden. Karoline Schneider hat zwei Kinder. Ihre Tochter heißt Michaela und ihr Sohn heißt Tim. Am Nachmittag haben die Kinder oft frei, dann kommt Adia. Adia Shalinkova kommt aus Kasachstan. In der Schweiz arbeitet sie als Kinderfrau. Aber ihre Kinder und ihr Mann leben in Kasachstan. Adia liebt ihre Kinder sehr, und sie skypen immer am Abend.

Joseph Aigner lebt in Bayern. Er ist Bauer von Beruf und ist verheiratet. Seine Frau Vanida kommt aus Thailand. Joseph Aigner hat keine Geschwister. Seine Familie ist sehr klein. Aber seine Frau Vanida hat drei Brüder und zwei Schwestern. Ihre Geschwister und ihre Eltern leben in Thailand. Joseph findet Vanidas Familie toll. Aber das Leben in Deutschland ist nicht einfach für Vanida. Sie hat hier noch keine Freunde. Sie ist oft allein.

Familien wie die Shalinkovs oder die Aigners leben in „Weltfamilien“: Ein Partner lebt in Deutschland, ein Partner in Kasachstan. Ein Partner kommt aus Thailand, ein Partner kommt aus Deutschland. Das ist nicht einfach. Aber Soziologen sagen: „Die Partner lernen in Weltfamilien sehr viel. Das Familienleben ist nicht langweilig.“

Zwei Soziologen schreiben ein Buch.
Das Thema: Weltfamilien und die Liebe

c Lesen Sie noch einmal. Sind die Sätze richtig oder falsch? Kreuzen Sie an.

	richtig	falsch
1 Adia Shalinkova arbeitet als Kinderfrau in der Schweiz.		
2 Die Kinder von Adia leben auch in der Schweiz.		
3 Die Eltern von Vanida leben nicht in Deutschland.		
4 Die Freunde von Vanida leben in der Schweiz.		
5 Soziologen sagen: Weltfamilien sind interessant.		

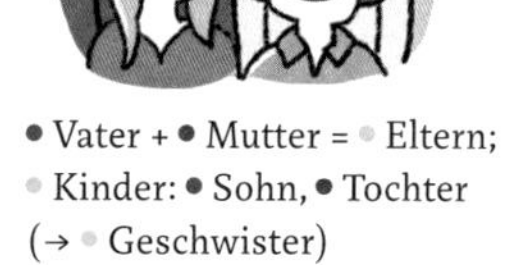

• Vater + • Mutter = • Eltern;
• Kinder: • Sohn, • Tochter
(→ • Geschwister)

AB B2 Tims Familie

1|29 **a Wer ist wer? Hören Sie den Dialog (Teil 1) und ergänzen Sie.**

• Großvater (Opa) • Großmutter (Oma) • Tante • Onkel
• ~~Schwester~~ • Cousin • Cousine • Cousine • Vater • Mutter

Tims Familie ≈ die Familie von Tim
Michaelas Bruder ≈ der Bruder von Michaela

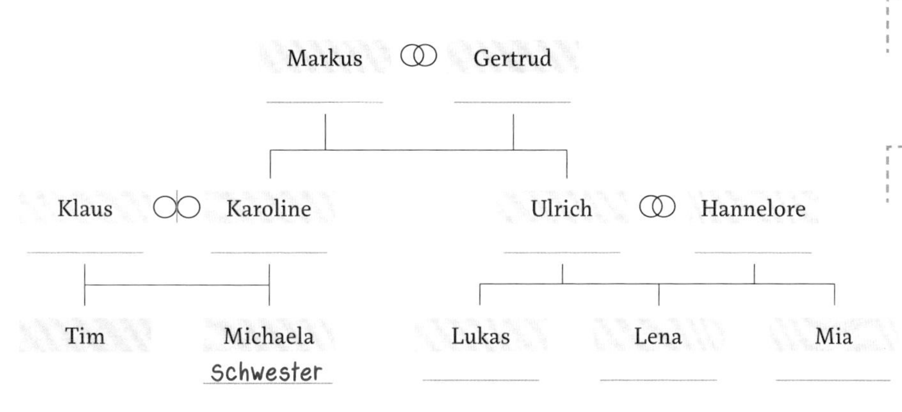

sein • Sohn
sein • Kind
seine • Tochter

ihr • Sohn
ihr • Kind
ihre • Tochter

b Lesen Sie den Stammbaum in a und ergänzen Sie.

1 Markus ist Tims Großvater. ______ Sohn heißt ______, ______ Tochter heißt ______.

2 Getruds Tochter heißt ______, ______ Sohn heißt ______, Michaela heißt ______ Tochter.

c Schreiben Sie Fragen.

Markus ist Tims Großvater. Wie heißt sein Sohn? Michaela ist Tims Schwester. Wie ...

d Partnerarbeit. Fragen und antworten Sie.

● Markus ist Tims Großvater. Wie heißt sein Sohn?
■ ...

e Was sagen Tim und Michaela zu Lukas und Lena? Ergänzen Sie.

1 Unser Vater heißt Klaus. Er ist euer Onkel.
Unsere Mutter heißt ______. Sie ist eure Tante.

2 Unsere Großmutter heißt ______, sie ist auch ______ Großmutter. Unser Großvater heißt ______, er ist auch ______ Großvater.

unser • Großvater
unsere • Großmutter

euer • Großvater
eure • Großmutter

1|30 **f Hören Sie den Dialog (Teil 2). Beantworten Sie dann die Fragen.**

1 Wie viele Onkel und Tanten hat Tim? Er hat ______.
2 Wie viele Brüder hat Tims Vater? Er hat ______ Brüder.
3 Wie viele Schwestern hat Tims Cousin Lukas? Er hat ______.
4 Wie viele Cousins und Cousinen hat Tim? Er hat ______.

	Singular	Plural
-(e)n	die • Schwester	die • Schwestern
-e/¨e	der • Sohn	die • Söhne
-er/¨er	das • Kind	die • Kinder
-/¨	der • Bruder	die • Brüder
-s	der • Cousin	die • Cousins

auch so: meine/deine/...

1|31 **g Hören Sie die Lösung und vergleichen Sie.**

B3 Ihre Familie

a Zeichnen Sie einen Stammbaum wie in 2a.

b Partnerarbeit. Lesen Sie den Stammbaum und sprechen Sie wie im Beispiel.

● Ich glaube, ... ist dein Bruder. ■ Nein, ... ist ...
● Und ... sind deine Großeltern. ■ Ja, genau. ... und ... sind ihre Kinder.

ihr/Ihr • Sohn
ihr/Ihr • Kind
ihre/Ihre • Tochter
ihre/Ihre • Kinder

C

AB **C1 Jobs auf einem Kreuzfahrtschiff**

▶ 1|32 **a** **Lesen Sie und hören Sie. Was finden tom1 und calypso gut, was finden sie schlecht? Schreiben Sie.**

Das Schiff Amadea

DAS IST DAS KREUZFAHRTSCHIFF AMADEA. HIER ARBEITEN – WIE FINDET IHR DAS?

tom1: Ich bin jetzt vier Wochen hier. Unser Team ist international, das finde ich super. Da ist zum Beispiel Marcos, der Barkeeper. Er kommt aus Brasilien, er ist zweiunddreißig Jahre alt und er arbeitet schon vier Jahre hier. Und da ist auch Sonja. Sie ist Ärztin. Sie sind meine Freunde. Jeden Tag haben wir die Sonne und das Meer – das ist einfach toll.

Meine Freunde

Die Sonne und das Meer am Abend

calypso: Ich finde das Schiff und die Arbeit schrecklich. Ich arbeite manchmal vierzehn Stunden am Tag. Das Essen ist schlecht, und meine Kabine ist sehr, sehr klein. Meine Freunde und meine Familie sind auch nicht hier, ich bin allein, ich habe Heimweh ...

Meine Kabine

☺ das Team ________

☹ ________

b **Berufe auf dem Schiff. Ergänzen Sie die weibliche (♀) oder männliche (♂) Form.**

der Kranken-pfleger / die Kranken-schwester

der Koch / die Köchin

der Schneider / ________

der Arzt / die Är________

der Steward / die Stewardess – ________ / die Kellnerin

________ / die Erzieherin

der Ingenieur / ________

der Friseur / ________

der Musiker / ________

________ / die Kapitänin

der Rezeptionist / ________

der Hotelmanager / ________

▶ 1|33 **c** **Hören Sie und sprechen Sie nach.**

der • Arzt ♂ die • Ärztin ♀

d **Partnerarbeit. Lesen Sie die Liste. Fragen Sie und antworten Sie wie im Beispiel.**

Das Team auf der Amadea

Name	geboren	kommt aus	Beruf
John Miller	1975	Großbritannien	Kapitän
Adrienne Foret	1989	Frankreich	Krankenschwester
Antonio Rossi	1981	Italien	Ingenieur
Stefanie Winter	1992	Deutschland	Friseurin
Marius Dinu	1993	Rumänien	Steward
Maria Helios	1986	Griechenland	Erzieherin
Julia Tirado	1979	Spanien	Hotelmanagerin
Dana Özer	1993	Türkei	Köchin

- ● Was ist Adrienne Foret von Beruf?
- ■ (Sie ist) Krankenschwester. Wer ist Köchin von Beruf?
- ● ... Woher kommt ...?
- ■ Aus ... Wer kommt aus ...?
- ● ... Wer arbeitet als ...?
- ■ Das ist ...

Was ist ... von Beruf? | Wer ist ... von Beruf?
Wer arbeitet als ...?

woher ...?
aus Italien, aus Deutschland, ...
aber: aus der Türkei, aus der Schweiz, aus den USA, aus der Ukraine

AB C2 Wann sind Sie geboren?

1|35 **a** **Ergänzen Sie. Hören Sie dann und vergleichen Sie. Sprechen Sie nach.**

20 zwanzig 30 dreißig 40 ___zig 50 ___zig 60 sechzig 70 siebzig 80 ___zig 90 neunzig 100 hundert

b **Wie heißen die Zahlen? Was glauben Sie? Schreiben Sie.**

13 dreizehn 14 vierzehn 15 ___ 16 sech___ 17 sieb___ 18 ___ 19 ___

Sie schreiben: 13
Sie hören: drei → zehn 13

1|36 **c** **Hören Sie die Zahlen aus b, vergleichen Sie und sprechen Sie nach.**

d **Wie heißen die Zahlen? Was glauben Sie? Schreiben Sie.**

27 siebenundzwanzig 32 ___ 49 ___
55 ___ 68 ___ 74 ___

1|37 **e** **Hören Sie, vergleichen Sie und sprechen Sie nach.**

f **Partnerarbeit. Lesen Sie noch einmal die Tabelle in 1d. Sprechen Sie wie im Beispiel.**

1 ● Wann ist Marius Dinu geboren?
■ Neunzehnhundertdreiundneunzig.
2 ● Wie alt ist die Person?
■ Sie ist ... Jahre alt. Wie heißt sie?
● ...
3 ● Meine Person ist ... geboren, wie heißt sie?
■ ...

Sie schreiben: 1992
Sie hören: neunzehnhundertzweiundneunzig:
19 hundert 92
Sie schreiben: 2013
Sie hören: zweitausenddreizehn:
2 tausend 13

AB C3 Auf der Amadea

Rollenspiel. Sie machen eine Kreuzfahrt oder arbeiten auf der Amadea. Schreiben Sie Karten wie im Beispiel und sprechen Sie dann.

- ● Guten Tag, ich bin Lars Persson, wie heißen Sie? ■ Ich heiße Dana Özer.
- ● Was sind Sie von Beruf? ■ Ich bin ...
- ● Arbeiten Sie hier? ■ Ja.
- ● Und woher kommen Sie? ■ ...
- ● ... ■ ...

Lars Persson
(Schweden, Tourist)
Beruf: Ingenieur; selbstständig
geboren: 1987

Grammatik

Verb

Präsens – Verben auf *d/t*

	arbeiten
ich	arbeite
du	arbeitest
er/es/sie	arbeitet
wir	arbeiten
ihr	arbeitet
sie/Sie	arbeiten

Nomen

bestimmter Artikel – Nominativ Plural

	Singular	Plural	
1	die • Schwester die • Zahl	die • Schwestern die • Zahlen	-(e)n
2	das • Telefon der • Sohn	die • Telefone die • Söhne	-e/¨e
3	das • Kind das • Buch	die • Kinder die • Bücher	-er/¨er
4	das • Fenster der • Bruder	die • Fenster die • Brüder	–/¨
5	der • Cousin das • Auto	die • Cousins die • Autos	-s

Possessivartikel

ich	mein
du	dein
er	sein
es	sein
sie	ihr
wir	unser
ihr	euer
sie	ihr
Sie	Ihr

Possessivartikel – Nominativ

Singular		
• maskulin	mein/dein/sein/ihr/Ihr/unser/euer	Bruder
• neutral	mein/dein/sein/ihr/Ihr/unser/euer	Kind
• feminin	meine/deine/seine/ihre/Ihre/unsere/eure	Tante
Plural		
•	meine/deine/seine/ihre/Ihre/unsere/eure	Brüder/Kinder/Tanten

Wortbildung *-in*

der • Arzt ♂
die • Ärztin ♀

Genitiv-s bei Namen

Tims Familie = die Familie von Tim
Marias Tante = die Tante von Maria

Satz

Inversion

	Position 2	
Ich	finde	Tennis interessant.
Tennis	finde	ich interessant.

Redemittel

über Vorlieben sprechen

Ich ... gern, du auch?
Ja, ich ... auch gern.
Nein, ich ... nicht gern.
Wie findest du ...?
... finde ich langweilig/...
Was/Wer ist dein/deine / Ihr/Ihre Lieblings...?
Mein/Meine Lieblings... ist ...

über die eigene Familie sprechen

... ist ...s Bruder/Schwester/...
Das ist mein Bruder / ... und das sind meine Großeltern / ...

über das Alter sprechen

Wann bist du / sind Sie geboren?
Wie alt bist du / sind Sie?
Ich bin ... Jahre alt.

über den Beruf sprechen

Was bist du / sind Sie von Beruf?
Ich bin ... / Ich arbeite als ...
Ich bin selbstständig.

nützliche Sätze

Wie bitte?
Was meinen Sie?
Ich glaube, das ist ...
Das weiß ich nicht.
Ja, genau.

Was ist für Sie wichtig?

schöne Wohnung

Kommunikation

Essen, Lebensmittel

Auto

Urlaub

Konsum

a Was finden Sie wichtig? Was finden Sie nicht wichtig? Ordnen Sie zu.

Fußball Musik Bücher eine schöne Wohnung Sport
mein Auto Essen gute Restaurants Fernsehen Computer
Urlaub Kommunikation Telefonieren Lebensmittel ...

nicht wichtig (–)	wichtig (+)	sehr wichtig (++)
		Musik

b Lesen Sie. Was macht Erika gern? Was findet sie wichtig / nicht wichtig?

Erika: Ich lese gern. Bücher finde ich wichtig. Mein Mann und ich, wir essen auch gern. Wir haben ein Lieblingsrestaurant. Am Sonntag essen wir immer dort. Sport finde ich nicht wichtig, aber ich höre sehr gern Musik.

c Was machen Sie gern? Was finden Sie wichtig? Was finden Sie nicht wichtig? Schreiben Sie.

gern / viel lesen Auto fahren gern essen telefonieren / chatten / skypen /...
Urlaub machen Musik / Radio hören Sport machen Tennis / Fußball spielen

Ich höre gern Musik. Musik finde ich sehr wichtig. ...

**d Partnerarbeit.
Lesen Sie und sprechen Sie.**

Ich höre gern Musik. Musik finde ich sehr wichtig.

Ich finde Musik auch wichtig.

SIE LERNEN

- *über Wünsche sprechen*
- *über Preise sprechen*
- *Uhrzeit angeben (2)*
- *bestellen (1)*

GRAMMATIK

- Plural von Nomen (2)
- bestimmter/unbestimmter Artikel, Negativartikel, Possessivartikel im Akkusativ
- Nullartikel
- Personalpronomen *er/es/sie*
- Konjugation *möchten, mögen*
- Konjugation Verben mit Vokalwechsel
- Präpositionen *(wann?) um, von ... bis*

WORTSCHATZ

- Essen und Trinken

AB **A1 Tauschen im Internet**

a Sehen Sie die Bilder an und lesen Sie. Was glauben Sie? Was macht Sarah gern? Was ist ihr Problem?

1

Tauschbörse – www.deine-buecher-tauschen.de

Du hast keinen Platz für deine Bücher? Tauschen ist die Lösung.

Hallo Gerald,
ich finde dein Buch „Radiogeschichten" interessant. Tauschen wir? Du bekommst mein Buch „Liebe ist ...".
Sarah

2

Sarah: „CDs und Bücher kaufe ich gern. Für Bücher habe ich immer Geld. Zu Hause bleiben, Musik hören und lesen, ... das brauche ich, das macht mich glücklich."

3 Sarahs Wohnung: Da ist kein Platz für neue Bücher.

b Was bedeuten die Wörter aus a in Ihrer Muttersprache? Schreiben Sie.

tauschen ______	• Geld ______	glücklich ______
bekommen ______	bleiben ______	• Platz ______
kaufen ______	brauchen ______	

▶ 1|38 **c Lesen Sie und hören Sie. Ordnen Sie dann die Bilder (1, 2, 3) aus a den Textteilen (A, B, C) zu.**

Meine Lieblingsbücher tausche ich nicht!

A Sarah liest gern Bücher und hört gern Musik. „Partys finde ich nicht so toll. Ich bleibe gern zu Hause. Ich brauche nur ein Buch oder eine gute CD, dann bin ich glücklich!", sagt sie. Sarah kauft oft Bücher und CDs. „Für Bücher und CDs habe ich immer Geld", meint sie.

B 5 Aber jetzt hat Sarah ein Problem. Sie hat eine neue Wohnung. Die Wohnung ist sehr klein, und Sarah hat keinen Platz für neue Bücher. Ihr Freund Alex hat eine Idee. „Du liest deine Bücher oft nur einmal[1] oder zweimal[2]", sagt er. „Im Internet gibt es Tauschbörsen. Tausch doch deine Bücher. Das kostet nichts."

C Sarah findet die Idee gut. Ihre Bücher sind jetzt in der Tauschbörse im 10 Internet. Dort findet Sarah Tauschpartner wie Gerald aus Frankfurt: Gerald sieht im Internet Sarahs Buch „Liebe ist ...". Er findet das Buch interessant. Sarah findet Geralds Buch „Radiogeschichten" gut. Sie schreiben E-Mails und tauschen ihre Bücher.
Sarah tauscht auch CDs, DVDs und andere Dinge[3]. Manchmal kauft sie auch 15 etwas. „Ich bekomme wirklich gute Sachen[3] im Internet", meint sie. „Ich tausche viel und oft. Meine Lieblingsbücher und meine Lieblings-CDs tausche ich aber nicht, das ist klar."

es gibt ≈ da sind, da ist

etwas ≈ eine Sache
nichts ≈ keine Sache

	lesen	sehen
ich	lese	sehe
du	liest	siehst
er/es/sie	liest	sieht
wir	lesen	sehen
ihr	lest	seht
sie	lesen	sehen

[1] 1x [2] 2x [3] • Ding / • Sache ≈ keine Person

d Lesen Sie noch einmal. Was ist richtig? Kreuzen Sie an.

1 Sarah findet Partys super.
2 Sarah hat kein Geld für neue Bücher.
3 Sarahs Wohnung ist nicht groß.
4 Sarahs Freund meint, Tauschbörsen sind eine gute Idee für Sarah.
5 Gerald tauscht auch Bücher im Internet.
6 Sarah tauscht oft ihre Lieblingsbücher.

AB A2 Tauschen Sie doch einfach!

1|39 **a** **Lesen Sie, hören Sie die Wörter und sprechen Sie nach.**

    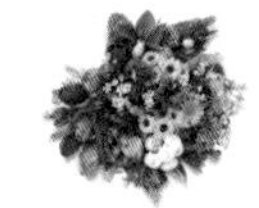 

1 • Kühlschrank 2 • Fahrrad 3 • Klavier 4 • Briefmarke 5 • Blumen 6 • DVD

7 • Gitarre 8 • Hose 9 • Tisch 10 • Schrank 11 • Computerspiel 12 • Fernseher (Neupreis 800 €)

1|40-42 **b** **Hören Sie. Was tauschen die Personen? Schreiben Sie.**

1: 1 und 9; 2: ... 3: ...

Nominativ		Akkusativ	
ein/der	• Stuhl	einen/den	• Stuhl
ein/das	• Buch	ein/das	• Buch
eine/die	• Gitarre	eine/die	• Gitarre
–/die	• Blumen	–/die	• Blumen

nach: haben, brauchen, tauschen, ...

1|40-42 **c** **Hören Sie noch einmal und ergänzen Sie. Was glauben Sie? Wer tauscht gut ☺, wer tauscht nicht gut ☹? Kreuzen Sie an.**

☺ ☹

1 Ich habe einen K__________. Den K__________ brauche ich nicht mehr, aber ich brauche einen T__________. Ich tausche und bekomme __________.
2 Wir haben __________. __________ brauchen wir nicht mehr. Wir tauschen und bekommen __________.
3 Ich habe __________. __________ brauche ich nicht mehr. Ich tausche und bekomme __________.

d **Partnerarbeit. Sie haben fünf Dinge. Ihr Partner hat fünf Dinge. Tauschen Sie. Sprechen Sie wie im Beispiel.**

Partner 1: • • • • • ...

Partner 2: •  •  •  • 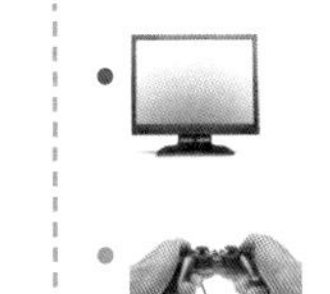 • ...

- • Ich habe einen Tisch. Den Tisch brauche ich nicht mehr. Aber ich brauche ein Radio.
- ■ Ich habe ein Radio. Tauschen wir?
- • Ja, gern. Ich brauche ein Computerspiel. Hast du ein Computerspiel?
- ■ Nein. Aber ich habe ... Tauschen wir?

AB A3 Einkaufen im Internet. Billig oder teuer?

1 Euro (€) = 100 Cent

1|43 **a** **Finden die Personen die Dinge teuer oder billig? Hören Sie und ergänzen Sie.**

1 Die Hose kostet 18,40 €. Sie ist billig.
2 __________ kosten __________. __________ sind __________.
3 __________ kostet __________. __________ ist __________.
4 __________ kostet __________. __________ ist __________.

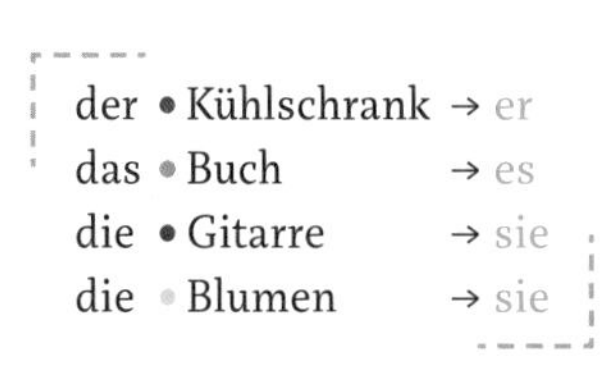

der	• Kühlschrank	→	er
das	• Buch	→	es
die	• Gitarre	→	sie
die	• Blumen	→	sie

b **Partnerarbeit. Schreiben Sie Preise für die Dinge in 2d. Fragen Sie und antworten Sie.**

- • Wie viel kostet der Schrank?
- ■ Der Schrank ist billig. Er kostet nur 20 Euro.

Wie viel kostet/kosten ...?
... ist/sind (nicht) billig. / (sehr/nicht) teuer.
Er/Es/Sie kostet / Sie kosten (nur) ...

AB B1 Essen und Trinken

▶ 1|44 **a** **Was kennen Sie schon? Ordnen Sie zu. Hören Sie dann und sprechen Sie nach.**

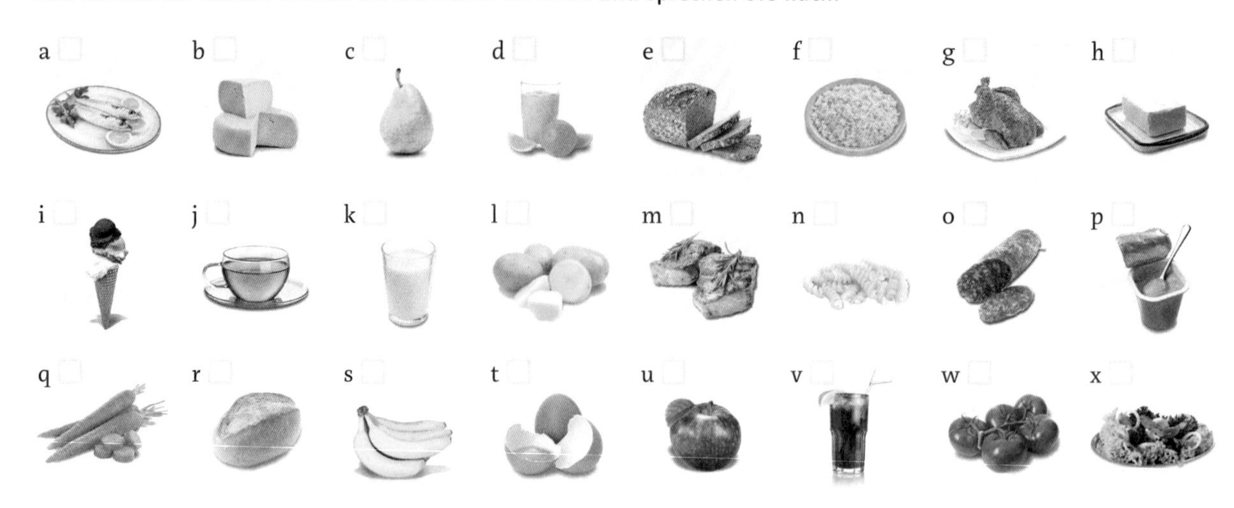

1 • Hähnchen, - 2 • Käse 3 • Butter 4 • Orangensaft 5 • Brot, -e 6 • Reis
7 • Milch 8 • Tee 9 • Wurst 10 • Fisch, -e 11 • Brötchen, - 12 • Fleisch 13 • Eis
14 • Salat, -e 15 •/• Joghurt 16 • Kartoffel, -n 17 • Apfel, ¨ 18 • Nudel, -n 19 • Ei, -er
20 •/• Cola 21 • Tomate, -n 22 • Banane, -n 23 • Karotte, -n 24 • Birne, -n

die • Orange
+ der • Saft
= der • Orangensaft

b **Partnerarbeit. Machen Sie den Satz so lang wie möglich. Nehmen Sie nur maskuline (•) Nomen aus a!**

- Der Kühlschrank ist leer. Wir haben keinen Käse.
- Wir haben keinen Käse und auch keinen Joghurt.
- Wir haben keinen Käse, keinen Joghurt und auch k…

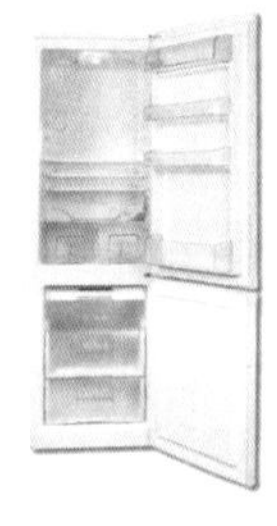

Nominativ	Akkusativ
kein • Käse	keinen Käse
kein • Brot	kein Brot
keine • Birne	keine Birne
keine • Tomaten	keine Tomaten

AB B2 Im Supermarkt

▶ 1|45 **a** **Hören Sie und ergänzen Sie.**

trinke essen trinke isst schmeckt magst

1 • ______ du gern Käse?
▪ Nein, nicht so gern.

2 • Der Tee ______ sehr gut.
▪ Ich ______ immer nur Kaffee.
Tee ______ ich nie.

3 • ______ Sie gern Fisch?
▪ Ja, das ist mein Lieblingsessen.

4 • Ich kaufe noch Äpfel. ______ du Äpfel?
▪ Ja, sehr gern. Ich esse oft Äpfel.

essen	
du isst	er/es/sie isst

	mögen
ich	mag
du	magst
er/es/sie	mag
wir	mögen
ihr	mögt
sie/Sie	mögen

b **Was passt? Ordnen Sie die Wörter aus 1a zu.**

Getränke: Tee, … Obst: Apfel, …
Gemüse: Kartoffel, … Sonstiges: Käse, …

Ich mag/esse/trinke (gern) Fisch/Tee/…
Es gibt heute Äpfel/…
Nach *esse gern / trinke gern / mag / es gibt*
→ oft Nomen ohne Artikel

c **Partnerarbeit. Was mögen Sie? Sprechen Sie wie in a.**

Hähnchen Käse Butter Orangensaft Brot Reis Milch
Tee Wurst Fisch Brötchen Fleisch Eis Salat Joghurt
Kaffee Kartoffeln (Pl.) Äpfel (Pl.) Nudeln (Pl.) Eier (Pl.)
Cola Tomaten (Pl.) Bananen (Pl.) Karotten (Pl.) Birnen (Pl.)

Isst/Trinkst du gern …?
Ja, sehr gern / gern. – Nein, nicht (so) gern.
Magst du …?
Ja. / Nein, … mag ich nicht gern.

AB **B3 Die Kantine – Karottenkuchen oder Pizza?**

a **Lesen Sie und schreiben Sie die Antworten.**

Ich habe Hunger.

Dorothee

Emma

HEUTE *geöffnet: Mo–Fr | geschlossen: Sa*

FRÜHSTÜCK
7:00–9:30 Uhr

Guten Appetit!

MITTAGESSEN
11:45–14:15 Uhr

Hamburger mit Pommes frites 4 €
Pizza 4,50 €
Salat 6,30 €

AM NACHMITTAG
14:15–17:30

Kaffee und Karottenkuchen mit Sahne nur 2,50 €

1 Gibt es um acht Uhr Frühstück? ____________
2 Gibt es um drei Uhr Mittagessen? ____________
3 Was gibt es heute für 2,50 €? ____________

1|46 b **Offizielle und inoffizielle Uhrzeit. Ordnen Sie zu. Hören Sie dann und sprechen Sie nach.**

1 2 3 4 5

Offizielle Uhrzeit Es ist ...	Inoffizielle Uhrzeit Es ist ...
1 fünfzehn Uhr fünfzehn.	zehn nach halb drei / zwanzig vor drei.
vierzehn Uhr dreißig.	Viertel vor vier.
fünfzehn Uhr fünfundvierzig.	halb drei.
vierzehn Uhr fünfundzwanzig.	fünf vor halb drei.
vierzehn Uhr vierzig.	Viertel nach drei.

c **Schreiben Sie die Antworten.**
Schreiben Sie die offiziellen und inoffiziellen Uhrzeiten.

Wann gibt es Frühstück? Von sieben Uhr bis ...
Wann gibt es Mittagessen? Von ... bis ...
Wann gibt es Kaffee und Kuchen? Von ... bis ...

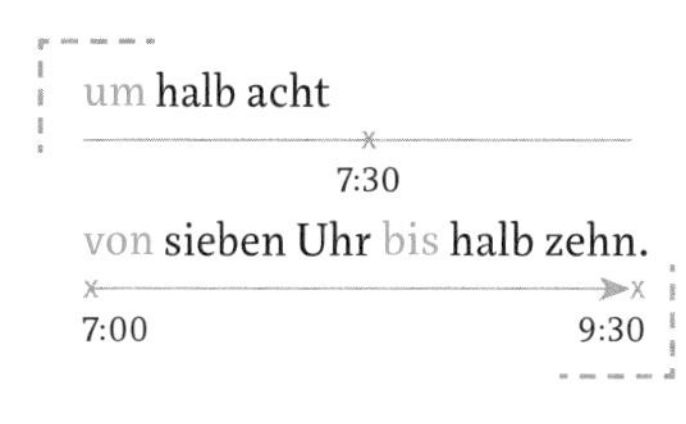

1|47 d **Dorothee und Emma telefonieren. Was ist richtig? Hören Sie und kreuzen Sie an.**

1 Was machen Dorothee und Emma um siebzehn Uhr immer? arbeiten einkaufen Kaffee trinken
2 Was möchte Emma heute essen? Pizza Gemüse oder Salat Kuchen

1|47 e **Hören Sie noch einmal. Was passt zusammen? Ordnen Sie zu.**

1 Um fünf in der Kantine, wie immer? e
2 Die Kantine hat heute Pizza und Hamburger.
3 Wie spät ist es jetzt?
4 Kaffee und Kuchen gibt es immer.
5 Du nimmst einfach den Karottenkuchen.

a Viertel nach drei.
b Dorothee!
c Ja schon, aber ich habe Hunger, ich möchte richtig essen ...
d Nein, ich möchte Gemüse oder Salat.
e ~~Nein leider, Dorothee, heute nicht.~~

f **Wie viel essen Sie wann? Ergänzen Sie die Tabelle.**

am Morgen am Vormittag zu Mittag am Nachmittag am Abend in der Nacht

Wann?
Zu Mittag. / In der Nacht.

	Ich	Meine Partnerin / Mein Partner
am Morgen	um Viertel vor sieben, wenig	

g **Partnerarbeit. Fragen Sie und antworten Sie.**
Ergänzen Sie die Informationen in f.

Wann isst du viel/wenig/nichts?
Am .../... esse ich viel. / wenig. / nicht viel. / nichts.
Am .../... habe ich Hunger. / keinen Hunger.

AB C1 Lieblingslokale

a Was ist das Lieblingslokal von Vera Beck, von Johann Bauer und von Torsten Jensen? Was glauben Sie? Sehen Sie die Bilder A, B und C an und ordnen Sie zu.

1 ☐

Ich liebe die Natur und die Berge. Nach vier Stunden Wandern schmeckt das Essen richtig gut.

Vera Beck (Sportlehrerin)

2 ☐

Am Vormittag treffe ich dort meine Freunde.

Johann Bauer (Rentner)

3 ☐

Zu Mittag esse ich nur eine Suppe, am Abend habe ich richtig Hunger.

Torsten Jensen (Bankangestellter)

A

eine Kneipe am Hamburger Hafen

B

ein Bergrestaurant in den Schweizer Alpen

C

ein Kaffeehaus in Wien

▶ 1|48 **b Lesen Sie und hören Sie. Vergleichen Sie dann Ihre Antworten in a mit dem Text.**

Was ist Ihr Lieblingslokal?

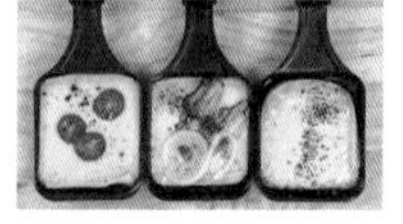

Mein Lieblingslokal? Das ist mein Kaffeehaus. Am Vormittag treffe ich dort meine Freunde. Wir spielen meistens Schach[1]. Zu Mittag bekommt man auch kleine Speisen. Ich nehme dann oft einen Toast oder einen Salat. Mein Lieblingsessen, Wiener Schnitzel, gibt es dort leider nicht.

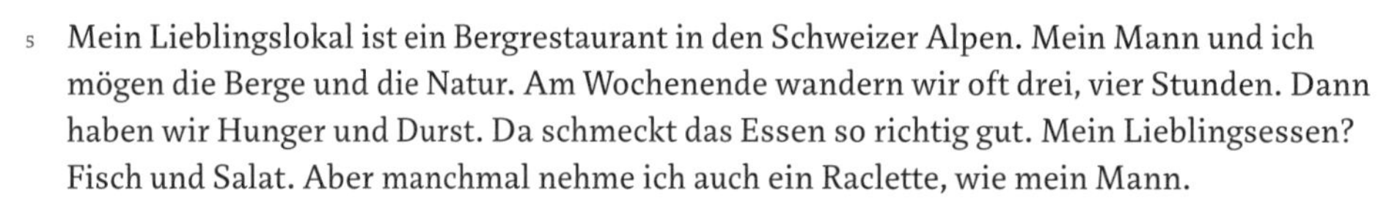

5 Mein Lieblingslokal ist ein Bergrestaurant in den Schweizer Alpen. Mein Mann und ich mögen die Berge und die Natur. Am Wochenende wandern wir oft drei, vier Stunden. Dann haben wir Hunger und Durst. Da schmeckt das Essen so richtig gut. Mein Lieblingsessen? Fisch und Salat. Aber manchmal nehme ich auch ein Raclette, wie mein Mann.

Mein Lieblingslokal? Das ist ganz klar: meine Kneipe am Hafen. Würstchen mit Kartoffel-
10 salat, das ist mein Lieblingsessen. Das esse ich dort, meistens am Abend. Ich esse ja nicht so viel. Am Morgen esse ich manchmal nichts, und zu Mittag auch nur wenig, vielleicht eine Suppe. Aber am Abend habe ich dann richtig Hunger.

[1] 

treffen
du triffst — er/es/sie trifft

c Lesen Sie noch einmal alle Texte in a und b und ergänzen Sie die Tabelle.

	Beruf	Lieblingsessen	Speisen im Lieblingslokal
Johann Bauer			
Vera Beck			Raclette
Torsten Jensen			

d Partnerquiz.
Partner 1 hat das Buch und fragt.
Partner 2 antwortet.

Wer isst sehr gern Wiener Schnitzel?

Wer ist ... von Beruf?
Wer isst (sehr) gern ...?
Wer isst im Lieblingslokal ...?

AB **C2 Und was nimmst du?**

a **Lesen Sie die Speisekarten. Was passt? Ordnen Sie die Restaurants aus 1a zu.**

1 (Schweizer) Franken (CHF) = 100 Rappen

Café Spitz

Kaffee (großer Brauner) 3,20 €
Tee mit Zitrone 2,50 €
Mineralwasser 1,40 €
heiße Schokolade 3,00 €
Bananenmilch 2,90 €
Schokoladenkuchen 3,50 €

Moserhütte

Raclette 25 CHF
Nudelsuppe 7,50 CHF
Tomaten-Mozarella-Salat 12,50 CHF
Toast 8 CHF
Obst Stück 1 CHF

Haifisch-Bar

Würstchen mit Kartoffelsalat 3,40 €
Käsebrötchen 2,20 €
Schinkenbrötchen 2,20 €
Kartoffelsalat 2,50 €
Tomatensuppe 2,60 €

b **Was essen/trinken Sie gern / nicht gern? Sprechen Sie.**

Ich esse gern Tomaten-Mozarella-Salat, aber Tomatensuppe esse ich nicht gern.

49, 50 c **Hören Sie. Wo sind die Personen? Kreuzen Sie an. Was bestellen sie? Ergänzen Sie.**

1 Ort: Kneipe Bergrestaurant Kaffeehaus
Die Frau möchte ______________________.
Der Mann ______________________.

2 Ort: Kneipe Bergrestaurant Kaffeehaus
Die Frau möchte ______________________.
Der Mann ______________________.

	möchten	nehmen
ich	möchte	nehme
du	möchtest	nimmst
er/es/sie	möchte	nimmt
wir	möchten	nehmen
ihr	möchtet	nehmt
sie/Sie	möchten	nehmen

d **Partnerarbeit. In der Kantine: Kennen Sie Ihre Partnerin / Ihren Partner? Was glauben Sie? Was nimmt sie/er? Sprechen Sie.**

- Ich glaube, du nimmst den Fisch.
- Richtig, ich möchte den Fisch und nicht das Fleisch.

Ich glaube, du nimmst / du möchtest ...
Falsch, ich nehme/möchte ... und nicht ...
Richtig, ich nehme/möchte ...

51, 52 e **Wie viel bezahlen die Personen in c? Lesen Sie noch einmal die Speisekarten in a und ergänzen Sie. Hören Sie dann und vergleichen Sie.**

1
- Wir möchten bezahlen.
- Gern.
- Ich bezahle eine heiße Schokolade, einen Schokoladenkuchen und einen Kaffee.
- Das macht ____________. – Danke.

2
- Die Rechnung, bitte.
- Zusammen oder getrennt?
- Zusammen. Heute bezahle ich. Also ich bezahle meine Suppe, meinen Tomaten-Mozarella-Salat und seinen Toast.
- Das macht ____________.
- Hier, bitte. Stimmt so.
- Vielen Dank.

Akkusativ
Ich bezahle meinen/deinen/seinen/ihren/unseren/euren/Ihren • Toast.

f **Dreiergruppen. Schreiben Sie und spielen Sie Dialoge wie in e mit den Informationen aus a.**

Grammatik

Verb

Präsens – besondere Verben

	mögen	möchten
ich	mag	möchte
du	magst	möchtest
er/es/sie	mag	möchte
wir	mögen	möchten
ihr	mögt	möchtet
sie/Sie	mögen	möchten

Präsens – Verben mit Vokalwechsel

	lesen	essen	nehmen	treffen
ich	lese	esse	nehme	treffe
du	liest	isst	nimmst	triffst
er/es/sie	liest	isst	nimmt	trifft
wir	lesen	essen	nehmen	treffen
ihr	lest	esst	nehmt	trefft
sie/Sie	lesen	essen	nehmen	treffen

Nomen

unbestimmter Artikel / Negativartikel – Nominativ Plural

	unbestimmter Artikel		Negativartikel	
Singular				
• maskulin	ein	Stuhl	kein	Stuhl
• neutral	ein	Buch	kein	Buch
• feminin	eine	Gitarre	keine	Gitarre
Plural				
•	–	Stühle/Bücher/ Gitarren	keine	Stühle/Bücher/ Gitarren

bestimmter Artikel / unbestimmter Artikel / Negativartikel / Possessivartikel – Akkusativ

	Nominativ	Akkusativ
Singular		
• maskulin	der/ein/kein/mein Stuhl	den/einen/keinen/ meinen Stuhl
• neutral	das/ein/kein/mein Buch	
• feminin	die/eine/keine/meine Gitarre	
Plural		
•	die/–/keine/meine Stühle/Bücher/Gitarren	

Personalpronomen *er/es/sie* – Nominativ

	Nominativ	
Singular		
• maskulin	der Stuhl	er kostet ...
• neutral	das Buch	es kostet ...
• feminin	die Gitarre	sie kostet ...
Plural		
•	die Stühle/Bücher/Gitarren	sie kosten ...

Akkusativ nach *brauchen, haben, nehmen, kaufen, möchten*

	Ich brauche ...
Singular	
• maskulin	den Stuhl
• neutral	das Buch
• feminin	die Gitarre
Plural	
•	die Stühle/Bücher/Gitarren

ohne Artikel (Nullartikel) oft nach *mögen, es gibt ...*

Es gibt Schokoladenkuchen/Reis/Tee/...
Ich mag Schokoladenkuchen/Reis/Tee/...

Präposition

temporal *(wann?)* – *um, von ... bis*

um halb acht / Viertel vor neun / vierzehn Uhr vierzig
von halb drei / zwei Uhr / ... bis Viertel vor vier / drei Uhr / ...

Redemittel

über Wünsche sprechen

Ich habe einen/keinen/...
Den/Das/Die ... brauche ich nicht mehr.
Hast du ...? – Ja. / Nein, aber ich habe ...

über Preise sprechen

Wie viel kostet/...? Es kostet/... (nur) ...

etwas bewerten

... ist/sind billig/teuer/...

über Vorlieben sprechen

Isst du / Essen Sie / Trinkst du / Trinken Sie gern ...? | Ja, (sehr) gern. / Nein, nicht (so) gern. | Magst du / Mögen Sie ...

über Essgewohnheiten sprechen

Ich esse/trinke oft ... | Am Morgen / ... trinke/esse ich viel / wenig / nicht viel / nichts. | ... habe ich (keinen) Durst / (keinen) Hunger.

bestellen

Ich nehme/möchte ... | Gibt es heute ... / Haben Sie ...? | Wir möchten bezahlen. Die Rechnung, bitte. | Zusammen oder getrennt? | Das macht ... Euro/... Hier, bitte. Stimmt so.

nützliche Sätze

Ja, gern. | Danke. | Vielen Dank.

Muss ich heute ...?

Alltag

a **Wie ist Ihr Alltag? Was macht Ihren Alltag schön? Schreiben Sie.**

von ... bis ... arbeiten   im Büro sein
Hausarbeit machen   lernen   kochen
am Vormittag/... im Deutschkurs sein
am ... / um ... zu Hause sein   ...

mein Lieblingslied hören   ... spielen
mein Lieblingsessen/... essen   tanzen
Freunde/... treffen   ... kaufen
einen Film/... sehen   ... bekommen
... trinken   mit ... telefonieren/...
einen Straßenkünstler sehen   ...

Mein Alltag:
von acht bis 16 Uhr arbeiten
...

Das macht den Alltag schön:
mit Renate Kaffee trinken, tanzen
...

b **Lesen Sie. Das macht den Alltag von Anna schön.**

Anna: Ich bin Studentin. Ich studiere Sprachen. Ich habe viele Kurse und lerne viel zu Hause. Mein Studium ist nicht einfach. Am Wochenende arbeite ich als Kellnerin. Ich habe nicht viel Freizeit. Aber am Dienstag und Donnerstag treffe ich meine Freundin Marianne und wir gehen tanzen. Am Montag frühstücken wir manchmal auch zusammen. Das finde ich toll.

c **Schreiben Sie einen Text mit Ihren Ideen aus a.**

Ich bin ... Ich arbeite ... Und ... Am ... / Um ...

d **Partnerarbeit: Lesen Sie und sprechen Sie.**

... und wir gehen tanzen.

Tanzen? Das finde ich interessant. Vielleicht mache ich das auch einmal.

Sie lernen

- *den Tagesablauf beschreiben*
- *Notwendigkeit ausdrücken*
- *Fähigkeit ausdrücken*
- *Erlaubnis ausdrücken*
- *Absichten äußern*
- *über das Befinden sprechen*

Grammatik

- Modalverben (1)
- Konjugation trennbare Verben, Verben mit Vokalwechsel
- Satzklammer
- Pronomen *man, niemand*

Wortschatz

- Alltagsaktivitäten
- Gefühle

AB A1 Im Internet zu Hause

a Sehen Sie die Bilder an und ordnen Sie die Sätze zu.

1 Karin arbeitet im Supermarkt. Jeden Tag muss sie Gemüse, Obst und andere Produkte verkaufen.
2 Karins „Avatar" kann Klavier spielen. Er wartet auf Karin im Internet.

A

B

▶ 1|53 **b Hören Sie und lesen Sie den Text. Was macht Karin am Abend nach der Arbeit?**

Das zweite Leben

Karin Kaiser arbeitet im Supermarkt. Jeden Tag muss sie um sieben Uhr aufstehen. Um halb neun beginnt ihre Arbeit. Sie muss vier Stunden am Vormittag und vier Stunden am Nachmittag arbeiten. Jeden Tag muss sie Brötchen, Tomaten, Äpfel und andere Produkte verkaufen. Karin findet ihren Beruf sehr langweilig. Doch um halb sieben am Abend kommt sie nach Hause. Dann beginnt das zweite Leben[1]: Karin besucht[2] jeden Tag eine virtuelle Welt im Internet. Dort wartet ihre Spielfigur auf sie, ihr „Avatar".
Im Internet ist Karin keine Verkäuferin, dort ist sie Musikerin. Karin kann gar nicht Klavier spielen, aber im Internet ist sie eine tolle Pianistin.
Im Internet hat Karin auch keine Wohnung, dort hat sie ein Haus[3] am Meer. Sie muss auch keine Hausarbeit machen und keine Brötchen und kein Gemüse verkaufen.
Im Internet geht sie jeden Tag shoppen. Da trifft sie Menschen aus vielen Ländern. Karin spricht keine Fremdsprachen, aber ihr Avatar kann alle Sprachen sprechen und verstehen. Karin mag ihr Leben im Internet. Sie findet es super.
Der Psychologe Jörg Sommer ist da nicht sicher. „Manche Menschen müssen jeden Tag viele Stunden im Internet sein. Sie können ohne Internet[4] nicht leben", meint er. „Manchmal verlieren[5] sie dann ihre realen Freunde oder ihren Beruf."

[1] das Leben Nummer 2
[2] kommen und bleiben
[3]  • Haus
[4] ohne Internet ≈ kein Internet haben
[5] etwas nicht mehr haben

sprechen
du sprichst; er/es/sie spricht

c Was ist richtig? Lesen Sie den Text noch einmal und kreuzen Sie an.

1 Karin findet ihren Beruf ☐ langweilig. ☐ interessant. ☐ toll.
2 Karin findet ihr Leben im Internet ☐ schrecklich. ☐ einfach. ☐ super.
3 Der Psychologe Jörg Sommer ☐ findet Karins Leben im Internet gut. ☐ sieht Probleme. ☐ findet das Internet wichtig.

d Karins reales Leben und Karins Leben im Internet. Ordnen Sie zu und schreiben Sie Sätze.

Pianistin sein | eine Wohnung haben | Brötchen und Gemüse verkaufen | Klavier spielen | viele internationale Freunde haben | ~~im Supermarkt arbeiten~~ | ein Haus haben | shoppen gehen | Hausarbeit machen | keine Fremdsprachen sprechen

das reale Leben	das Leben im Internet
Karin arbeitet im Supermarkt	

AB A2 Berufsalltag

a Was muss Karin jeden Tag tun? Ordnen Sie die Uhrzeiten zu und schreiben Sie Sätze.

10:00 Uhr | 19:00 Uhr | ~~7:30 Uhr~~ | 14:00 Uhr

1 Karin macht Frühstück. Um halb acht muss Karin Frühstück machen.
2 Karin verkauft Gemüse. Um zehn Uhr muss ...
3 Karin arbeitet noch vier Stunden.
4 Karin kocht Abendessen. ...

müssen

ich	muss	acht Stunden	arbeiten
du	musst	acht Stunden	arbeiten
er/es/sie	muss	acht Stunden	arbeiten
wir	müssen	acht Stunden	arbeiten
ihr	müsst	acht Stunden	arbeiten
sie/Sie	müssen	acht Stunden	arbeiten

Ordnen = Order
Ordnen zu = connect

b **Was müssen die Personen in ihren Berufen tun? Ordnen Sie zu und sprechen Sie.**

Tätigkeiten
a Haare waschen
b Tabletten bringen
c Maschinen reparieren
d Essen kochen
e Produkte verkaufen
f Getränke und Essen bringen
g ~~die Grammatik erklären~~

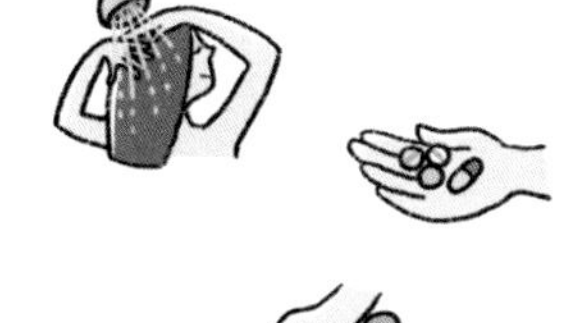

Berufe
1 Lehrer/innen g
2 Köche/Köchinnen d
3 Verkäufer/innen e
4 Mechaniker/innen c
5 Krankenschwestern b
6 Kellner/innen f
7 Friseure/Friseurinnen a

waschen
du wäschst;
er/es/sie wäscht
auch so: fahren

Lehrerinnen müssen die Grammatik erklären.

c **Partnerarbeit. Schreiben Sie zu den Berufen in b Sätze wie im Beispiel. Verwenden Sie *kein-*. Machen Sie dann ein Partnerquiz.**

Die Person muss keine Tabletten bringen.
Sie muss keine Getränke und kein Essen bringen.
Aber sie muss Produkte verkaufen.

Die Person muss keine Tabletten bringen. Sie ...

Deine Person ist ein Verkäufer oder eine Verkäuferin.

d **Notieren Sie Fragen mit „Sie" wie im Beispiel.**

Wann müssen Sie aufstehen?
Wie lange müssen Sie ...?
Müssen Sie am ...?

e **Fragen Sie und antworten Sie dann.**

- Wann müssen Sie aufstehen?
- Um sechs Uhr.
- W...

Wie lange müssen Sie arbeiten?
Müssen Sie am Sonntag arbeiten?

AB A3 Was können Sie gut?

a **Im Internet ist alles anders. Schreiben Sie Sätze mit *nicht*.**

~~singen~~ gut rechnen kochen tanzen ~~Klavier spielen~~

1 Karin kann nicht Klavier spielen, aber im Internet ist sie eine tolle Pianistin.
2 Irene kann nicht singen, aber im Internet ist sie ein Popstar.
3 Frau Schulze ____________________, aber im Internet ist sie Mathematiklehrerin.
4 Nils und Tom ____________________, aber im Internet haben sie ein Restaurant.
5 Urs und Beata ____________________, aber im Internet sind sie Turniertänzer.

rechnen

singen

	können
ich	kann
du	kannst
er/es/sie	kann
wir	können
ihr	könnt
sie/Sie	können

b **Partnerarbeit. Fragen Sie und antworten Sie.**

Auto fahren schnell rechnen Gitarre spielen gut zeichnen singen kochen einen Handstand machen Tennis spielen einen Kühlschrank reparieren ...

zeichnen

- Kannst du einen Handstand machen?
- Nein, das kann ich nicht.
- ...

Kannst du ...?
Ja, das kann ich (sehr) gut.
Ja, aber nicht (so) gut. | Nein, das kann ich nicht.

c **Gruppenarbeit. Machen Sie mit drei Fragen aus b eine Statistik. Sprechen Sie dann.**

	sehr gut	gut	nicht gut	nicht
schnell rechnen	I	IIIIIII	II	
Handstand machen	I	I	II	IIIII
einen Kühlschrank reparieren				IIIIIIIII

null Personen = niemand

Eine Person kann sehr gut schnell rechnen. Zwei Personen ...

Niemand kann einen Kühlschrank reparieren.

AB B1 Ein Tag – viele Gefühle

▶ 1|54 **a** **Ordnen Sie zu. Hören Sie dann und vergleichen Sie.**

A  3

B  7

C  ___

D  ___

E  ___

F  ___

G  ___

H  ___

I  ___

1 nervös 2 lustig 3 ~~traurig~~ 4 zufrieden 5 durstig (Durst haben)
6 hungrig (Hunger haben) 7 ~~glücklich~~ 8 wütend 9 müde

b **Am Spieltag. Wie geht es den Personen vor dem Fußballspiel? Lesen Sie die Sätze. Was passt? Ergänzen Sie Wörter aus a.**

der Fußballplatz vor dem Fußballspiel

1 a Julian Förster spielt heute wieder nicht mit. Er ist t r a u r i g.
  b Julian Förster trinkt vor dem Spiel viel Kaffee. Er ist _ _ _ _ ö _.

Julian Förster, Fußballspieler

2 a Brigitte Moser bekommt viele Interviews. Sie ist _ l _ _ _ l _ _ _.
  b Brigitte Moser hat viel Arbeit. Sie ist _ _ d _.

Brigitte Moser, Journalistin

3 a Marianne Wehner hat nicht genug Würstchen. Sie ist n _ _ _ _ _.
  b Die Fans sind immer hungrig. Marianne Wehner ist _ _ f r _ _ _ _ _ _.

Marianne Wehner, Würstchenverkäuferin

4 a Ein Spieler ist nicht da. Gerhard Meister ist _ ü _ _ _ _.
  b Alle Spieler sind da. Gerhard Meister ist z _ _ _ _ _ d _ _.

Gerhard Meister, Fußballtrainer (links), sein Assistent (rechts)

▶ 1|55-58 **c** **Hören Sie die Dialoge und lesen Sie die Sätze in b. Was ist richtig, a oder b? Kreuzen Sie an.**

1 2 3 4

▶ 1|55-58 **d** **Hören Sie noch einmal und ergänzen Sie die Namen.**

Julian (J) Brigitte (B) Marianne (M) Gerhard (G)

1 B ruft den Trainer nach dem Spiel an.
2 ______ meint: „Getränke verkaufen macht Spaß."
3 ______ liest Roberts SMS. Da steht: „Mein Bus kommt um 16:30 Uhr an."
4 ______ sieht müde aus.
5 ______ sitzt auf der Bank und sieht zu.
6 ______ muss das Spiel sehen und ein Interview machen.
7 ______ zieht sein Trikot an und macht beim Training mit.

aussehen

mitmachen

ankommen

anrufen

anziehen

e **Schreiben Sie die Infinitive zu den Sätzen wie im Beispiel.**

aussehen ~~anrufen~~ mitmachen zusehen ankommen anziehen

an|rufen Sie ruft den Trainer an.

1 … ruft den Trainer nach dem Spiel an. (anrufen)
2 … liest Roberts SMS. Da steht: „Mein Bus kommt um 16:30 Uhr an." (__________)
3 … sieht müde aus. (__________)
4 … sitzt auf der Bank und sieht zu. (__________)
5 … zieht sein Trikot an (__________) und macht beim Training mit. (__________)

f **Was passt? Ergänzen Sie die Verben.**

	So ist es immer:		**Heute ist es anders:**
aussehen	Julian ______ sein Trikot ______.	anrufen	Roberts Bus ______ zu spät ______.
zusehen	Er ______ beim Training ______.	aussehen	Gerhard Meister ______ Robert ______.
mitmachen	Er ______ nur ______.	ankommen	Julian ______ neunzig Minuten ______.
anziehen	Er ______ traurig ______.	mitspielen	Er ______ zufrieden ______.

AB

B2 Und wie geht es …?

1|59 **a** **Situationen und Gefühle. Ergänzen Sie die Verben. Hören Sie dann und vergleichen Sie.**

1 Sie müssen um neun Uhr im Büro sein. (sein müssen) Ihr Bus ______ erst um Viertel nach neun ______. (ankommen)

2 Sie arbeiten bis 23:00 Uhr. Am Morgen ______ Sie um 4:30 Uhr ______. (aufstehen müssen)

3 Sie haben Geburtstag. Ihre Freundin ______ aus den USA ______. (anrufen)

4 Sie ______ für das Konzert am Abend Ihre neue Hose ______. (anziehen möchten) Die Hose ______ schrecklich ______. (aussehen)

5 Sie ______ etwas ______. (essen möchten) Sie ______ den Kühlschrank ______. (aufmachen) Er ist leer.

6 Ihre Freundinnen gehen shoppen. Sie fragen „______ du ______?" (mitkommen)

b **Wie geht es Ihnen in den Situationen 1–6? Wählen Sie aus und kreuzen Sie an.**

Ich möchte essen.

1 Ich bin wütend nervös zufrieden glücklich ______.
2 Ich bin müde hungrig zufrieden nervös ______.
3 Ich bin traurig glücklich nervös ______.
4 Ich bin wütend nervös zufrieden ______.
5 Ich bin wütend hungrig durstig traurig zufrieden ______.
6 Ich bin nervös glücklich zufrieden müde ______.

c **Partnerarbeit. Sprechen Sie über die Situationen in a wie im Beispiel.**

- Du musst um neun Uhr im Büro sein und dein Bus kommt um Viertel nach neun an. Wie geht es dir da?
- Nicht so gut. Ich bin wütend und nervös. Und wie geht es dir?
- Auch nicht gut. Ich bin nervös.

Wie geht es dir (da)? | Wie geht's dir (da)?
Gut. Ich bin zufrieden / glücklich / …
Nicht so gut. / Schlecht. | Ich bin nervös / …
Auch gut. / Auch nicht gut.

AB C1 Krisen im Alltag

▶ 1|60 **a** **Hören Sie und lesen Sie die Texte. Ordnen Sie die Personen den Texten zu.**

A
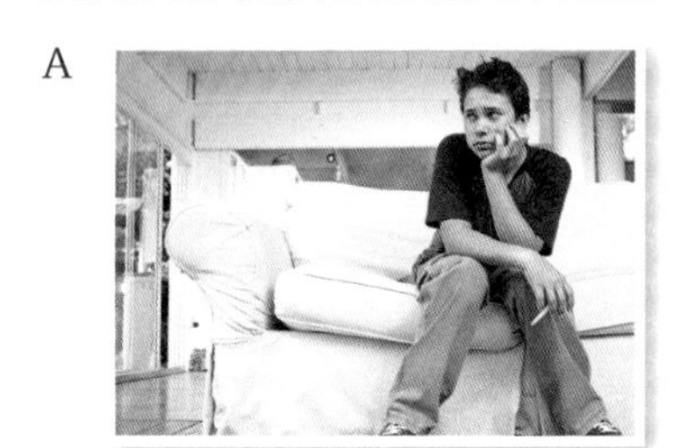
Lukas Müller, 17, Schüler

B

Natascha Seiler, 27, Model

C

Franz König, 72, Rentner und sein Hund Jogi

D

Vera Pichler, 34, Hausfrau

E

Jan Schmidt, 49, Topmanager

Ich will nicht mehr ... !

1 Ich will nicht mehr den Haushalt machen. Ich will nicht mehr die Wäsche waschen und ich koche auch zu viel, jeden Tag zweimal. Ich will wieder arbeiten und Geld verdienen.
2 Die Schule finde ich schrecklich. Der Unterricht ist zu langweilig. Ich will nicht mehr lernen. Ich will auch nicht mehr zu Hause wohnen. Ich will reisen und die Welt kennenlernen.
3 Ich habe ein Haus und einen großen Garten. Das ist alles zu viel Arbeit. Ich will nicht mehr im Garten arbeiten. Ich bin schon zu alt. Ich will jetzt eine kleine Stadtwohnung mieten.
4 Ich brauche Urlaub. Ich will nicht mehr jeden Tag zwölf oder dreizehn Stunden arbeiten. Ich habe zu wenig Zeit für meine Familie. So kann das nicht weitergehen. Ich suche einen neuen Job.
5 Ich will wieder einmal einen großen Hamburger mit Pommes frites essen, vielleicht sogar zwei. Ich habe zu viele Fototermine. Ich will keine Fotografen und Journalisten mehr sehen. Ich will ganz normal leben.

b **Lesen Sie die Texte in a noch einmal und ordnen Sie die unterstrichenen Wörter zu.**

1  ≈ • Schule, Text 2

2  ≈ ____________ Text ___

3  ≈ ____________ Text ___

4  ≈ ____________ Text ___

5 Geld für Arbeit bekommen ≈ ____________ Text ___

6 Hausarbeit machen ≈ ____________ Text ___

c **„Das ist zu viel. Ich habe genug!" Lesen Sie den Beispielsatz und suchen Sie andere Beispiele in a.**

Vera Pichler: Ich koche auch zu viel.
Lukas Müller: ____________
Franz König: ____________
Jan Schmidt: ____________
Natascha Seiler: ____________

Das ist zu viel Saft.

Die Hose ist zu groß.

d **Partnerarbeit. Ein Partner fragt wie im Beispiel, ein Partner hat das Buch und antwortet.**

- Wer will nicht mehr die Wäsche waschen?
- Die Hausfrau Vera Pichler.
- Wer will eine Wohnung in der Stadt mieten?
- ...

	wollen
ich	will
du	willst
er/es/sie	will
wir	wollen
ihr	wollt
sie/Sie	wollen

e **Partnerarbeit. Sprechen Sie. Was wollen Sie mit 30, 40, 50, 70, 90 Jahren noch tun? Was wollen Sie nicht mehr tun? Finden Sie Gemeinsamkeiten und berichten Sie im Kurs.**

mit 30 mit 40 mit 50 mit 70 mit 90

ein Buch schreiben arbeiten eine Fremdsprache lernen
reisen Kinder haben einen Sportwagen kaufen
ein Haus kaufen ...

• Sportwagen

- Willst du mit 70 noch reisen?
- Ja. Und du?

Wir wollen mit 50 noch ...

Willst du mit 70 noch ...? | Ja. Und du?
Ich glaube nicht. Und du? | Ich auch (nicht).

AB C2 Das geht doch nicht ...!

a **Reaktionen. Ergänzen Sie die Sätze mit *darf, darfst* oder *dürfen*. Was passt? Ordnen Sie die Sätze dann den Texten 1–5 aus 1a zu.**

1 „Nein, das geht nicht. Du ________ jetzt nicht mit der Schule aufhören. Du musst noch ein Jahr in die Schule gehen." Text
2 „Das geht nicht, Sie ________ jetzt keinen Urlaub nehmen, wir haben zu viel Arbeit in der Firma." Text
3 „Das geht gar nicht. Du ________ kein Fast Food essen. Du musst fit und schön aussehen." Text
4 „Ich muss wieder eine Stelle finden, ich ________ nicht nur für die Familie arbeiten." Text
5 „Nein, das geht leider nicht. Sie ________ den Hund nicht mitbringen. Die Wohnung ist zu klein." Text

	dürfen
ich	darf
du	darfst
er/es/sie	darf
wir	dürfen
ihr	dürft
sie/Sie	dürfen

1|61 b **Hören Sie fünf Dialoge und vergleichen Sie Ihre Sätze in a.**

c **Partnerarbeit. Was dürfen Sie im Beruf oder zu Hause tun? Was dürfen Sie nicht? Sprechen Sie.**

zu Hause	**im Beruf**
einen Hund haben	Telearbeit machen
laut Musik hören	im Büro essen
in der Nacht Klavier spielen	Kinder mitbringen
Fußball spielen	Hunde mitbringen
eine Party machen	Computerspiele spielen
grillen ...	rauchen ...

grillen rauchen

- Darfst du Telearbeit machen?
- Ja, das ist kein Problem. Am Dienstag und am Donnerstag arbeite ich zu Hause.
- Darf man Hunde mitbringen?
- Nein, das darf ich hier nicht.

Hier darf man einen Hund haben.
man = alle Personen
(immer Singular!)

Darfst du / Darf man ...?
Ja, das ist kein Problem.
Nein, das darf ich/man nicht.

Grammatik

Verb

Präsens – Modalverben *müssen, können, wollen, dürfen*

	müssen	können	wollen	dürfen
ich	muss	kann	will	darf
du	musst	kannst	willst	darfst
er/es/sie	muss	kann	will	darf
wir	müssen	können	wollen	dürfen
ihr	müsst	könnt	wollt	dürft
sie/Sie	müssen	können	wollen	dürfen

Präsens – Verben mit Vokalwechsel

	waschen	fahren
ich	wasche	fahre
du	wäschst	fährst
er/es/sie	wäscht	fährt
wir	waschen	fahren
ihr	wascht	fahrt
sie/Sie	waschen	fahren

Präsens – trennbare Verben

	an¦ziehen		
ich	ziehe	das Trikot	an
du	ziehst	das Trikot	an
er/es/sie	zieht	das Trikot	an
wir	ziehen	das Trikot	an
ihr	zieht	das Trikot	an
sie/Sie	ziehen	das Trikot	an

auch so:
auf¦stehen,
aus¦sehen,
mit¦spielen,
zu¦sehen, …

Satz

Satzklammer – Modalverben

	Position 2		Ende
Markus	darf	Klavier	spielen.
Markus	darf	nicht Klavier	spielen.
Darf	Markus	Klavier	spielen?
Wann	darf	Markus Klavier	spielen?

Satzklammer – trennbare Verben

	Position 2		Ende
Ich	stehe	um fünf Uhr	auf.
Stehst	du	jetzt	auf?
Wann	stehst	du	auf?

Satzklammer – Modalverben und trennbare Verben

	Position 2		Ende
Ich	will	um fünf Uhr	auf¦stehen.
Willst	du	um fünf Uhr	auf¦stehen?
Wann	willst	du	auf¦stehen?

Nomen

Pronomen – *man*

Man darf hier nicht rauchen.

Pronomen – *niemand*

Niemand kann einen Handstand machen.

Modalverben *können, müssen, wollen, dürfen*

Karin muss jeden Tag acht Stunden arbeiten.
Karins Avatar kann Klavier spielen.
Jan Schmidt will nicht mehr so viel arbeiten.
Jan Schmidt darf keinen Urlaub nehmen.

Redemittel

über Notwendigkeiten sprechen

Wann musst du / müssen Sie aufstehen/arbeiten/…?
Wie lange musst du / müssen Sie …?
Musst du / Müssen Sie (auch) am … arbeiten/…?
Ich muss acht Stunden arbeiten / um sechs Uhr aufstehen/…

über Fähigkeiten sprechen

Können Sie / Kannst du …?
Ja, das kann ich (sehr gut / gut).
Ja, aber nicht gut.
Nein, das kann ich nicht.
Nein, das kann ich nicht so gut.

über das Befinden sprechen

Wie geht es dir? / Wie geht es Ihnen?
Wie geht's dir? / Wie geht's Ihnen?
Gut. Ich bin zufrieden/glücklich/nervös/…
Es geht. / Nicht so gut. / Schlecht.
Und dir? Und Ihnen?
Auch gut. / Auch nicht (so) gut.

Absichten äußern

Willst du / Wollen Sie …?
Nein. / Ja. Und du?
Ich auch (nicht).

über Gebote sprechen

Dürfen Sie / Darfst du / Darf man …?
Ja, das ist kein Problem.
Nein, das darf ich/man nicht.

Wo ist ...?

Carmens Wohnung ist klein, aber sehr schön.

Carmens Eltern wohnen in Hamburg. Sie haben ein Haus mit Garten.

So wohnen wir

a Lesen Sie die Fragen. Ergänzen Sie und kreuzen Sie an wie im Beispiel.

Wo wohnen Sie?	in ______
	[X] Wohnung [ ] Haus
Wie ist die Wohnung / das Haus?	[ ] groß [X] klein
Wo wohnt Ihre Familie?	in Hamburg
Wie oft besuchen Sie Ihre Familie?	[ ] oft [ ] manchmal
	[ ] ______-mal im Jahr
	[ ] immer am ______
Wo wohnen Ihre Lieblingsfreunde?	in ______
Wie oft treffen Sie Ihre Freunde?	[ ] oft [ ] manchmal
	[ ] immer am ______

b Lesen Sie. Wo wohnen Carmens Eltern und Freunde? Wie oft sieht Carmen sie?

Carmen: Ich wohne in Mannheim. Dort habe ich eine Wohnung. Sie ist klein, aber sie ist sehr schön. Meine Eltern wohnen in Hamburg. Sie haben ein Haus. Leider kann ich meine Eltern nicht oft besuchen, nur fünf- oder sechsmal im Jahr. Meine Freundin Sabine treffe ich immer am Wochenende. Sie wohnt auch in Mannheim. Sabines Wohnung ist sehr groß. Wir machen dort oft Partys und laden viele Freunde ein.

c Schreiben Sie mit Ihren Antworten aus a einen Text.

Ich wohne in ... Dort habe ich ein Haus / eine Wohnung. Es/Sie ist ...
Mein Bruder/... wohnt in ... Meine Geschwister/... wohnen in ...
Ich besuche meinen Bruder/... oft/...
Meine Freundin / Meinen Freund /... treffe / besuche ich oft/nicht oft/...
Sie/Er/... wohnt in ... Ihre/Seine Wohnung ist ...

d Partnerarbeit. Lesen Sie und sprechen Sie.

Meine Eltern wohnen in Hamburg. Sie haben ein Haus.

Wie oft besuchst du deine ...?

SIE LERNEN

- *einen Weg erklären*
- *die Wohnung, die Heimatstadt beschreiben*

GRAMMATIK

- bestimmter Artikel im Dativ
- Präpositionen *(wo?)* mit Dativ *in, neben, an, auf, unter, über, hinter, vor, zwischen*
- Präposition *für*
- Personalpronomen im Akkusativ
- Konjugation *wissen*
- Konjunktion *denn*

WORTSCHATZ

- Plätze in der Stadt
- Ortsadverbien
- Wohnung
- Möbel

AB **A1 GPS im Alltag**

a **Was kann Ihr GPS? Was glauben Sie? Lesen Sie die Aussagen. Was ist richtig, was ist falsch? Kreuzen Sie an.**

		richtig	falsch
1	Wann zeigt die Ampel grün? Das weiß Ihr GPS-Gerät.		
2	Das Navigationsgerät im Auto arbeitet mit GPS.		
3	„Ich kann mit dem Ding meine Getränke bezahlen", sagt Manuela. Sie mag das GPS im Handy.		
4	Ihr Fahrrad ist weg? Kein Problem. Mit GPS sehen Sie, wo es steht.		
5	„Gehen Sie geradeaus, dann nach rechts, dann nach links." Das GPS-Gerät zeigt den Weg.		
6	Sie brauchen die Polizei? Ihr GPS-Gerät kann einen Polizisten holen.		
7	Ihre Tochter geht aus. Sie schalten das GPS im Handy ein und können so Ihre Tochter kontrollieren.		

b **Partnerarbeit. Vergleichen Sie. Was glauben Sie? Was ist richtig?**

- Ich denke, Satz 1 ist richtig.
- Nein, das geht nicht.
- Doch, ich glaube, das geht.

Gehen Sie ➡ nach rechts / ⬅ nach links / ⬆ geradeaus.

▶ 2|1, 2 c **Hören Sie und lesen Sie jetzt den Text. Vergleichen Sie. Sind Ihre Vermutungen in a und b richtig?**

Das alles kann Ihr GPS ...

GPS ist wichtig für das Navigationsgerät im Auto. Das GPS kann aber noch viel mehr ...

Bea Schröder muss einkaufen. Ihr Fahrrad steht vor dem Supermarkt. Es ist ganz neu. Für Diebe[1] ist so ein Fahrrad interessant, ... zu interessant! Nach einer halben Stunde will Frau Schröder nach Hause fahren. Doch ihr Fahrrad ist weg. Bea Schröder ist aber nicht nervös. Sie weiß, ihr Fahrrad steht in einer Straße hinter der Post. Denn an ihrem Fahrrad ist ein GPS-Sender. Schon bald kann die Polizei das Fahrrad zurückholen.

„Ich mag das Ding nicht, es ist schrecklich!" Manuela ist wütend. Sie ist 14 Jahre alt und möchte mit ihren Freunden ausgehen. Doch sie muss ihr GPS-Handy mitnehmen und sie muss es auch einschalten. Denn dann können ihre Eltern sehen, wo sie ist: Das GPS zeigt Manuelas Position. Experten finden die Idee von Manuelas Eltern nicht gut. „Zu viel Kontrolle ist schlecht. Kinder brauchen auch Freiheit", meinen sie.

Günter Möller steht vor einer roten Ampel und wartet. Er trägt einen MP3-Player. Im Straßenverkehr sind MP3-Player oft ein Problem, denn man kann die Autos nicht gut hören. Aber Günter braucht seinen MP3-Player. Er will in der Apotheke Tabletten kaufen. „Rosenapotheke", sagt Günter laut, dann hört er genau zu. Er geht los: Zuerst geradeaus, dann nach rechts, dann nach links. „Sie sind am Ziel", hört er. Richtig: Links neben dem Supermarkt ist die Apotheke. Günter Möller ist blind, er kann nicht sehen. In seinem MP3-Player ist ein GPS, das GPS beschreibt den Weg.

1 

tragen
du trägst; er/es/sie trägt

wissen
ich weiß, du weißt, er/es/sie weiß

d **Lesen Sie den Text noch einmal. Was passt? Ordnen Sie zu.**

1 Bea Schröder kann nicht nach Hause fahren.
2 Die Polizei kann das Fahrrad zurückbringen.
3 Manuela muss das GPS im Handy einschalten.
4 Manuela findet das GPS im Handy nicht gut.
5 Günter Möller braucht das GPS.

a Ihre Eltern wollen wissen, wo sie ist.
b Sie will frei sein.
c Er kann nicht sehen.
d Das GPS zeigt seine Position.
e Ihr Fahrrad ist nicht mehr da.

e **Schreiben Sie die Sätze aus d mit *denn* wie im Beispiel.**

Bea Schröder kann nicht nach Hause fahren, denn ...

Warum?
Bea Schröder kann nicht nach Hause fahren, denn ihr Fahrrad ist nicht mehr da.

A2 Wo ist Manuela?

a **Partnerarbeit. Lesen Sie die Wörter. Welche Wörter sind neu? Kreuzen Sie an.**

1 • Bank ☐ 2 • Geschäft ☐ 3 • Park ☐ 4 • Fabrik ☐ 5 • Apotheke ☐ 6 • Post ☐ 7 • Restaurant ☐
8 • Flughafen ☐ 9 • Bahnhof ☐ 10 • Disco ☐ 11 • Krankenhaus ☐ 12 • Hotel ☐ 13 • Schwimmbad ☐
14 • Bar ☐ 15 • Haltestelle ☐ 16 • Supermarkt ☐ 17 • Sportplatz ☐ 18 • Parkplatz ☐ 19 • Kino ☐

2|3 **b** **Ordnen Sie die neuen Wörter aus a zu. Hören Sie, vergleichen Sie und sprechen Sie nach.**

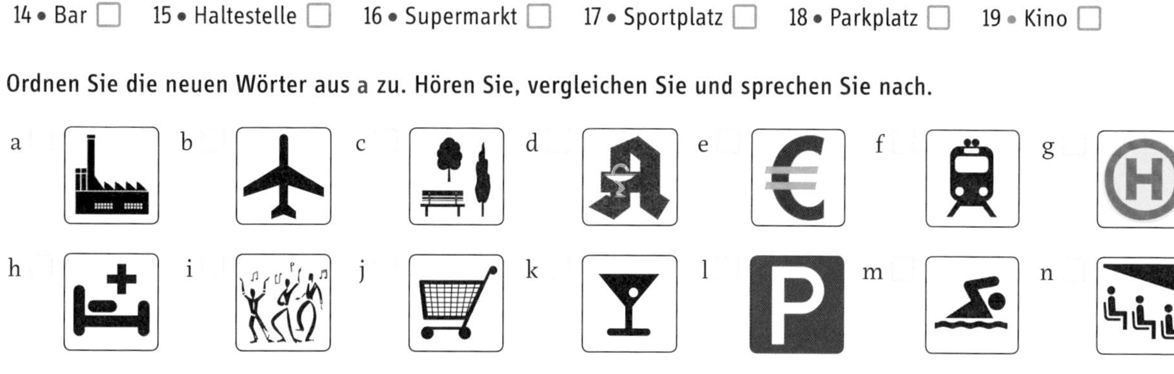

c **Ergänzen Sie *im* oder *in der*.**

1 __im__ Supermarkt		5 ______ Park	
2 ______ Disco		6 ______ Bank	
3 ______ Post		7 ______ Restaurant	
4 ______ Hotel		8 ______ Krankenhaus	

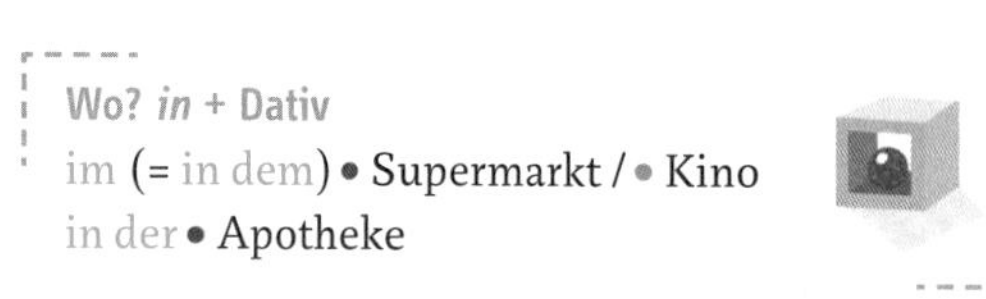

2|4 **d** **Hören Sie den Dialog.
Wo sehen die Eltern „Manuelas Handy"?
Kreuzen Sie die Orte in c an.**

2|4 **e** **Hören Sie noch einmal und beantworten Sie die Fragen.**

1 Wer hat das Handy?
2 Wo sehen die Eltern das Handy zuerst? Und dann?

Manuelas Eltern sind zu Hause.
Sie sehen Manuelas Position im Laptop.

A3 Wo ist hier eine Bank?

a **Lesen Sie und ergänzen Sie die Tabelle.**

Die Bank ist neben dem Supermarkt.
Links neben den Tennisplätzen ist der Supermarkt.
Die Bushaltestelle ist neben dem Hotel.
Rechts neben der Post ist der Bahnhof.

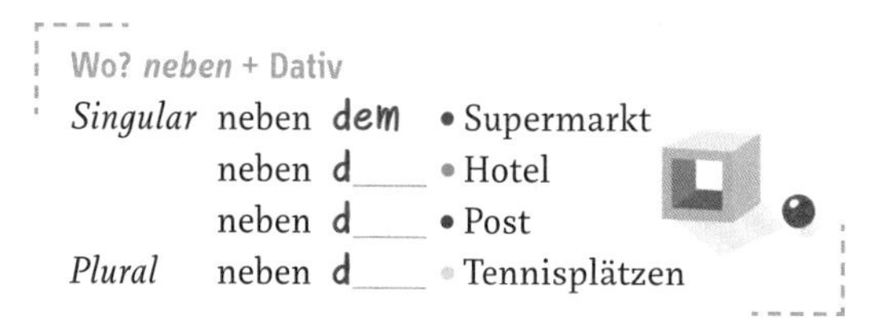

b **Was ist wo? Lesen Sie die Sätze aus a noch einmal und ordnen Sie im Plan zu.**

Bank (1) Supermarkt (2) ~~Tennisplätze (3)~~
Bushaltestelle (4) Hotel (5) Post (6) Bahnhof (7)

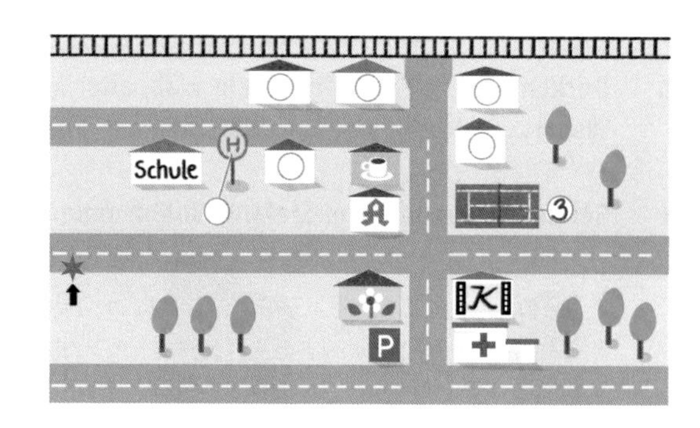

c **Sehen Sie den Plan an. Schreiben Sie Sätze wie in a.**

Links neben dem Blumengeschäft ist ...

2|5 **d** **Partnerarbeit. Hören Sie und lesen Sie.
Sprechen Sie dann mit den Orten im Plan. Sie sind hier ✶.**

• Entschuldigung, wo ist hier ein Blumengeschäft?
▪ Gehen Sie geradeaus und dann nach rechts.
Das Blumengeschäft ist neben dem Parkplatz.
• Vielen Dank.

Entschuldigung, wo ist hier ein/eine ...?
Gehen Sie geradeaus / nach links / nach rechts.
Tut mir leid, das weiß ich nicht. Ich bin nicht von hier. / Ich bin hier auch fremd. | Vielen Dank.

AB B1 In der Wohnung

▶ 2|6 **a** **Ordnen Sie die Wörter zu. Hören Sie dann die Wörter und sprechen Sie nach.**

Fernseher Schrank Kühlschrank Tisch Stuhl

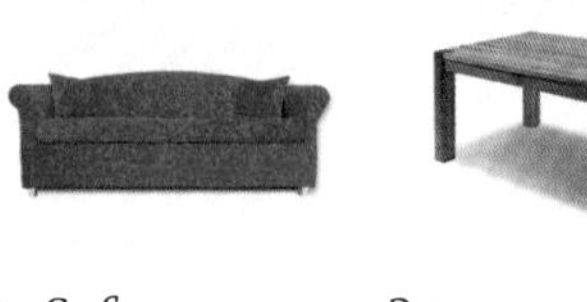

1 • Sofa

2 • ____________

3 • ____________

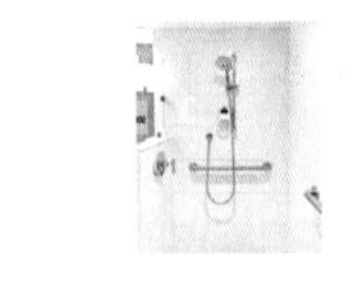

4 • Dusche

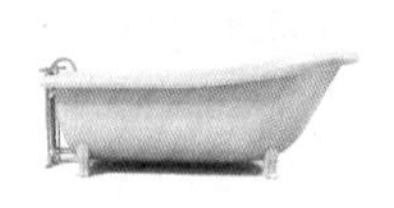

5 • Badewanne

6 • ____________

7 • Regal

8 • Teppich

9 • ____________

10 • Bett

11 • Herd

12 • ____________

13 • Toilette

14 • Waschbecken

15 • Sessel

16 • Waschmaschine

b **Wo sind Ihre Möbel/...? Ordnen Sie zu. Schreiben Sie.**

- • WC: die Toilette, das Waschbecken, ...
- • Flur: ...
- • Wohnzimmer: ...
- • Küche: ...
- • Schlafzimmer: ...
- • Badezimmer: ...

c **Partnerarbeit. Sprechen Sie mit den Informationen aus b. Ihr/e Partner/in notiert die Nummern wie im Beispiel.**

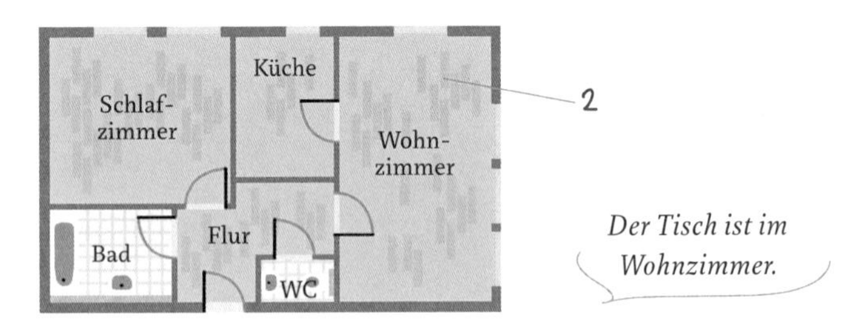

Der Tisch ist im Wohnzimmer.

AB B2 Wo ist ...?

▶ 2|7 **a** **Lesen Sie und hören Sie die Präpositionen.**

in über auf neben hinter vor an unter zwischen

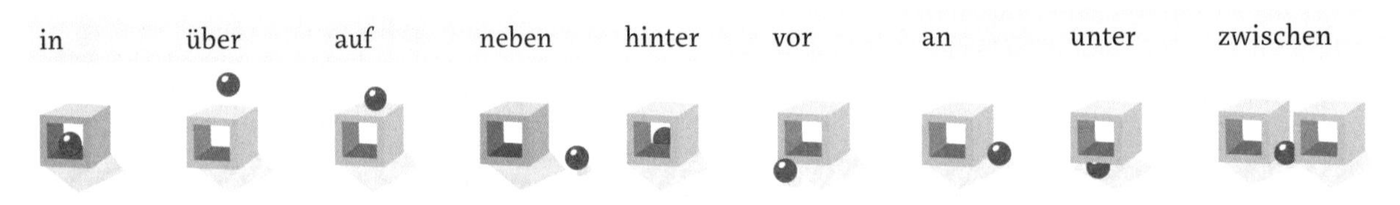

▶ 2|8 **b** **Decken Sie die Präpositionen in a ab, aber nicht die Bilder. Was passt? Hören Sie, sprechen Sie nach und zeigen Sie das Bild.**

c **Sehen Sie das Bild von Stefans Wohnzimmer an. Ordnen Sie zu.**

• Tür • Boden • Wand

1 Der Fernseher steht h
2 Die Gitarre hängt
3 Der Schrank steht
4 Das Bücherregal hängt
5 Der Sessel steht
6 Zwei Bücher liegen
7 Die Lampe steht
8 Das Bett steht

a hinter dem Fernseher.
b neben der Tür.
c rechts an der Wand.
d zwischen dem Bett und dem Schrank.
e über der Gitarre.
f vor dem Fernseher.
g auf dem Tisch.
~~h rechts unter dem Fenster.~~

 hängen  stehen  liegen

d **Das ist Stefans Küche. Wo sind der Herd, der Kühlschrank, der Tisch, die Stühle und die Lampe? Schreiben Sie Sätze wie im Beispiel.**

Der Herd steht neben dem ...

2|9 **e** **Hören Sie. Was ist richtig? Kreuzen Sie an.**

Stefan telefoniert mit Norbert.

1 Norbert ☐ wohnt ☐ sucht etwas ☐ kocht etwas in Stefans Wohnung.

2 Stefan braucht ☐ seinen Autoschlüssel. ☐ seine Brille. ☐ seinen Reisepass.

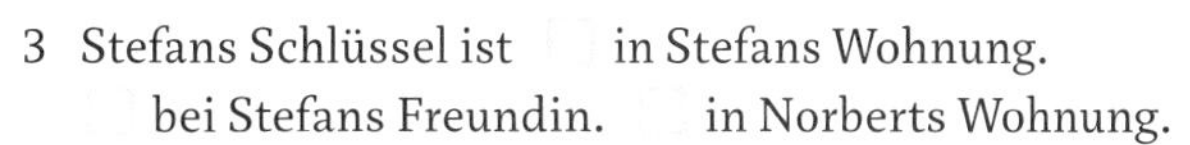

3 Stefans Schlüssel ist ☐ in Stefans Wohnung. ☐ bei Stefans Freundin. ☐ in Norberts Wohnung.

2|9 **f** **Hören Sie noch einmal und kreuzen Sie an. Wo sucht Norbert? Wo sucht er nicht?**

	Da sucht Norbert.	Da sucht Norbert nicht.
1 auf dem Tisch	☐	☐
2 neben dem Fernseher	☐	☐
3 unter dem Sessel	☐	☐
4 im Bücherregal	☐	☐
5 auf dem Sofa	☐	☐
6 im Kühlschrank	☐	☐
7 neben dem Herd	☐	☐
8 auf dem Boden	☐	☐
9 im Schrank	☐	☐
10 unter den Stühlen	☐	☐

g **Partnerarbeit. Sie suchen etwas in Stefans Zimmer. Ihre Partnerin / Ihr Partner weiß, wo es ist. Fragen Sie und antworten Sie wie im Beispiel.**

Kugelschreiber   Heft   Deutschbuch   Brille   Fotos

- ● Ich suche meinen Kugelschreiber. Liegt er auf dem Tisch?
- ■ Nein.
- ● Liegt er auf dem Boden?
- ■ Ja, da liegt er.

Ich suche ...
Liegt/Hängt/Steht/Ist er/es/sie ...
Liegen/Hängen/... sie ...
Ja, da liegt/hängt/...

AB B3 Mein ...zimmer

Partnerarbeit. Das Deutschbuch ist ein Zimmer in Ihrer Wohnung. Wo sind Ihre Möbel? Ihre Partnerin / Ihr Partner fragt, Sie zeigen den Platz.

- ● Das ist mein Wohnzimmer.
- ■ Wo ist die Tür?
- ● Hier ist die Tür.
- ■ Wo ist dein Schrank?
- ● Hier. Er steht neben der Tür.
- ■ Wo ist ...?

Das ist mein Wohnzimmer/...
Wo ist dein/deine ... /
Wo sind deine ...?
Hier. Er/Es/Sie steht/ liegt/... neben/auf/...
Sie stehen/liegen/...

C

AB C1 Städte in den deutschsprachigen Ländern

a Lesen Sie die Informationen. Wie heißen die Städte? Ordnen Sie zu. 1 Berlin 2 Wien 3 Zürich

A

- Einwohner: 390 000
- See: Zürichsee
- Sehenswürdigkeiten: Rathaus, Bahnhofstraße

B

- Einwohner: 3 500 000
- Fluss: Spree
- Sehenswürdigkeiten: Museumsinsel, Brandenburger Tor

C

- Einwohner: 1 750 000
- Fluss: Donau
- Sehenswürdigkeiten: Schloss Schönbrunn, Stephansdom

▶ 2|10 **b Hören Sie die Zahlen und sprechen Sie nach.**

390 000 – dreihundertneunzigtausend
3 500 000 – 3,5 Millionen – dreieinhalb Millionen
1 750 000 – eine Million siebenhundertfünfzigtausend

c Partnerarbeit. Machen Sie ein Partnerquiz. Fragen Sie und antworten Sie.

- ● Wo leben 390 000 Menschen?
- ■ In … Und wo ist die Museumsinsel?
- ● In … Und wie heißt …
- ■ …

AB C2 Die richtige Stadt für uns

▶ 2|11,12 **a Hören Sie und lesen Sie die E-Mails. Was will Brigitta wissen? Unterstreichen Sie die Fragen. Suchen Sie und markieren Sie dann Julias Antworten im Text.**

Heidelberg die Altstadt die alte Brücke der Fluss Neckar

Hallo Julia,
Ihr lebt jetzt schon drei Wochen in Deutschland. Ist Heidelberg die richtige Stadt für Euch? Wie sieht die neue Wohnung aus? Habt Ihr einen Balkon? Habt Ihr schon alle Möbel? Schreib mir bitte bald. Ich möchte alles wissen. ;-)
Brigitta

Hallo Brigitta,
ja, Heidelberg ist die richtige Stadt für uns, und besonders für mich. Du weißt, ich mag keine Großstädte. Heidelberg hat 175 000 Einwohner, das finde ich genau richtig. Die Altstadt ist sehr schön, sie liegt direkt am Neckar. Im Zentrum[1] gibt es viele Sehenswürdigkeiten, wie zum Beispiel die alte Brücke. Sie ist 800 Jahre alt.
Ich denke, auch Pablo ist zufrieden. Du weißt, für ihn ist die Arbeit sehr wichtig und seine Stelle hier ist sehr interessant. Auch Ines und Raul finden es schön hier. Die Sehenswürdigkeiten in der Altstadt sind für sie nicht so wichtig, aber die Kinos, Geschäfte, Sportplätze und Schwimmbäder. Für Raul ist Fußball sehr wichtig, er ist auch schon im Fußballteam an der Schule. Für ihn heißt das dreimal in der Woche Training.
Ines kennt schon ihre Lieblingsgeschäfte. Das Wochenende beginnt für sie meistens mit einer Shoppingtour.
Die Wohnung ist sehr schön. Sie ist nicht sehr groß, aber ich denke, für uns ist sie groß genug. Und sie hat auch einen Balkon! ☺ Wir brauchen noch eine Waschmaschine, die Möbel haben wir schon. Ich hoffe, Du besuchst uns bald! Für Dich haben wir immer Platz!
Liebe Grüße, Julia

[1]

b **Lesen Sie Julias E-Mail noch einmal. Ergänzen Sie die Sätze. Was ist für Julia, Pablo, Raul und Ines wichtig?**

die Geschäfte die Schwimmbäder ~~die Altstadt~~ die Kinos die Sportplätze die Sehenswürdigkeiten die Arbeit

1 Julia mag Heidelberg. Für Julia sind _die Altstadt_ und ______ wichtig.
2 Pablo mag Heidelberg. Für Pablo ist ______ wichtig.
3 Die Kinder mögen Heidelberg. Für Raul und Ines sind ______ wichtig.

c **Lesen Sie die Texte in a noch einmal und unterstreichen Sie alle Pronomen im Akkusativ.**

d **Schreiben Sie die Sätze aus b mit Pronomen im Akkusativ.**

1 Julia mag Heidelberg. Für ... sind die Altstadt und ... wichtig.
2 Pablo mag Heidelberg. Für ... ist ... wichtig.
3 Die Kinder mögen Heidelberg. Für ... sind ... wichtig.

Nominativ	Akkusativ
ich	mich
du	dich
er	ihn
sie	sie
es	es
wir	uns
ihr	euch
sie	sie
Sie	Sie

e **Partnerarbeit. Was ist für Sie in einer Stadt wichtig? Suchen Sie Gemeinsamkeiten. Sprechen Sie und schreiben Sie wie im Beispiel.**

Sehenswürdigkeiten Kinos
Theater Kaufhäuser ein See
viele Parkplätze eine Bibliothek
eine Universität eine U-Bahn
eine Wohnung im Zentrum
schnelle Busse Sportplätze
viele Parks ein Fluss ...

Für mich sind Sehenswürdigkeiten nicht wichtig? Und für dich?

Auch nicht.

für + Akkusativ
Für Pablo / Für meinen Mann / Für ihn } ist ... sehr wichtig.

Für uns sind Sehenswürdigkeiten nicht wichtig.

f **Vierergruppen. Suchen Sie Gemeinsamkeiten. Sprechen Sie.**

- Sind Sehenswürdigkeiten für euch wichtig?
- Nein, sie sind für uns nicht wichtig. Und für euch?
- Auch nicht.

Ist/Sind ... für euch ... wichtig?
Ja, ... ist/sind wichtig.
Nein, ... ist/sind nicht wichtig.
Und für euch? | Auch nicht.
Doch, für uns ist/sind ... wichtig.

AB C3 Meine Lieblingsstadt

2|13 **a** **Ergänzen Sie den Liedtext. Was passt? Hören Sie das Lied und vergleichen Sie.**

und am Sportplatz dann noch Fan sein. ~~Am Fluss, nachts um halb vier~~
und die Kaffeehäuser schlafen. ~~für einen Einkauf ist es nicht zu spät.~~

Straßen und Plätze sind leer,
und auch die Kneipen am Hafen.
Im Park sind keine Kinder mehr
______
Auf dem Fluss ein Schiff aus Papier,
niemand weiß woher.
Am Fluss, nachts um halb vier
lieb' ich die Stadt so sehr.

Am Morgen an der Ampel stehen,
studieren an der Universität,
mit den Freunden essen gehen,
für einen Einkauf ist es nicht zu spät.
Ausgehen, Partys, aber richtig,
______
Ein Banktermin ist auch noch wichtig,
die Stadt am Tag, die ist doch fein.

Das ist meine Stadt, das ist die Stadt für mich. Es ist nicht deine Stadt, nicht die Stadt für dich.
Gibt es die Stadt für dich und mich, gibt es die Stadt für uns?

b **Lesen Sie den Liedtext noch einmal. Was lieben die Sänger in ihrer Stadt?**

c **Gruppenarbeit. Was gibt es in Ihrer Stadt? Was finden Sie in Ihrer Stadt schön? Sprechen Sie.**

... hat ... Einwohner.
In ... gibt es viele ... | Ich liebe ...

Grammatik

Verb

Präsens – besondere Verben

	wissen
ich	weiß
du	weißt
er/es/sie	weiß
wir	wissen
ihr	wisst
sie/Sie	wissen

Nomen

bestimmter Artikel – Dativ

	Nominativ		Dativ		
Singular					
• maskulin	der	Stuhl	dem	Stuhl	-em
• neutral	das	Regal	dem	Regal	-em
• feminin	die	Lampe	der	Lampe	-er
Plural					
•	die	Stühle/ Regale/ Lampen	den	Stühlen/ Regalen/ Lampen	-en + -n*

* ohne -*n* nach Plural-*s*: den Fotos

Personalpronomen – Akkusativ

Nominativ	Akkusativ
ich	mich
du	dich
er	ihn
sie	sie
es	es
wir	uns
ihr	euch
sie	sie
Sie	Sie

Präposition

lokal *(wo?)* – *in, an, auf, ...* + Dativ

in	über	auf	neben	hinter	vor	an	unter	zwischen

	Präposition + Dativ	
Singular		
• maskulin	im (in dem) / am (an dem) / auf dem / unter dem / ...	Schrank
• neutral	im (in dem) / am (an dem) / auf dem / unter dem / ...	Regal
• feminin	in der / an der / auf der / unter der / ...	Lampe
Plural		
•	in den / an den / auf den / unter den / ...	Schränken/Regalen/Lampen

modal *(für wen?)* – *für*

	für + Akkusativ	
Singular		
• maskulin	für meinen Mann	für ihn
• feminin	für meine Schwester	für sie
Plural		
•	für meine Kinder	für sie

Satz

Konjunktion – *denn*

		Position 2		
	Bea Schröder	kann	nicht nach Hause	fahren,
denn	ihr Fahrrad	ist	nicht da.	

auch *und, oder, aber*

Redemittel

einen Weg erklären

Entschuldigung, wo ist hier ein/eine ...?
Gehen/Fahren Sie geradeaus / nach links / nach rechts und dann ...
Tut mir leid, das weiß ich nicht. Ich bin nicht von hier. / Ich bin hier auch fremd.
Vielen Dank.

die Wohnung beschreiben

Das ist mein Wohnzimmer / ...
Wo ist dein/Ihr Schrank / ...?
Hier. Er/Es/Sie steht/liegt/hängt neben/auf/...
Sie stehen/liegen/...

etwas bewerten

Für mich ist/sind ... (nicht) wichtig. Und für dich?
Auch (nicht). / Für mich auch. / Doch, für mich sind ... wichtig.

Was ist dein Problem?

Vielleicht kannst du ...?

a **Probleme und Lösungen. Ordnen Sie die Bilder den Problemen zu. Schreiben Sie dann Lösungen. Kennen Sie noch andere Alltagsprobleme und Lösungen?**

B	Das Auto ist kaputt.	einen Mechaniker holen
	Die Wohnung ist zu klein.	
	Der Computer ist kaputt.	
	Sie haben Probleme im Kurs.	
	Ihr Handy ist weg.	
	...	...

mit dem Kursleiter sprechen ~~einen Mechaniker holen~~ im Fundbüro fragen
das Auto reparieren Bücher und Möbel im Internet verkaufen
mit dem Bus fahren einen neuen Computer kaufen die Lektionen wiederholen
überall suchen den Computer reparieren eine neue Wohnung suchen ...

b **Lesen Sie den Text. Was ist Annikas Problem? Was ist ihre Lösung?**

Annika: Meine Waschmaschine ist kaputt. Ich kann nicht mehr waschen. Der Mechaniker sagt, sie ist schon sehr alt und er kann sie nicht reparieren. Ich muss eine neue Waschmaschine kaufen. Aber das will ich nicht. Ich habe kein Geld. Ich denke, man kann seine Wäsche auch im Waschbecken waschen.

c **Schreiben Sie einen Text über ein Problem aus a.**

Das Auto ist kaputt. Ich kann nicht mehr ... Es/... ist ... Ich muss ... Aber das ... Ich denke, man kann/...

d **Partnerarbeit. Lesen Sie und sprechen Sie.**

Mein Auto ist kaputt. Ich ...

Vielleicht kannst du ...

SIE LERNEN

- *Probleme beschreiben*
- *Termine ausmachen*
- *Vorschläge machen*
- *über Vergangenes berichten*

GRAMMATIK

- Datumsangaben
- Imperativ
- Possessivartikel, unbestimmter Artikel, Negativartikel im Dativ
- Präposition *von*
- Konjunktion *deshalb*
- Präteritum von *haben* und *sein*

WORTSCHATZ

- Ordinalzahlen
- Monatsnamen
- Körperteile
- Farben

A

AB A1 Gesundheitsprobleme ...

a Lesen Sie die Texte und ordnen Sie die Fotos zu.

A

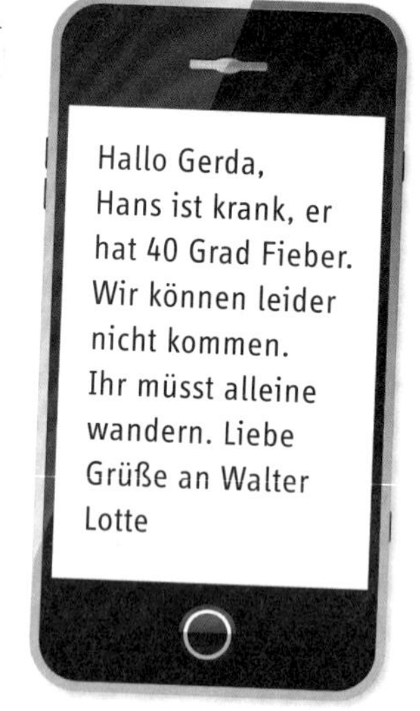

1

2

B

Sehr geehrter Herr Dr. Schneider,
es tut mir leid, ich habe Zahnschmerzen und kann heute leider nicht arbeiten. Ich denke, meine Kollegin Helga Mühldorfer kann meinen Termin mit der Firma A & Z übernehmen[1]. Am Nachmittag habe ich einen Zahnarzttermin. Ich kann vielleicht schon morgen wieder kommen.
Mit freundlichen Grüßen
Dominique Huber

[1] etwas für eine Person machen

b Was wollen oder müssen die Personen tun? Was ist das Problem?

1 Lotte und Hans wollen ____________, aber ____________.
2 Dominique Huber muss ____________, aber ____________.

AB A2 Haben Sie einen Termin für mich?

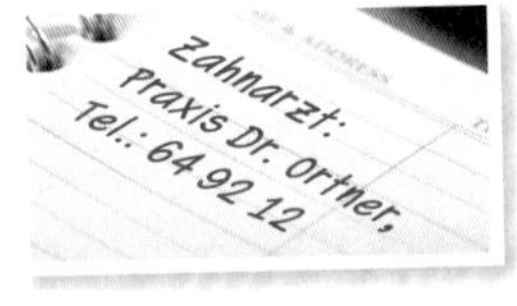

▶ 2|14 **a Teil 1. Hören Sie und kreuzen Sie an.**

Dominique bekommt einen Termin ...
- am sechzehnten vierten (16. 4.) um halb vier.
- am vierzehnten sechsten (14. 6.) um vier.
- am sechsten vierten (6. 4.) um drei.

▶ 2|15 **b Teil 2. Hören Sie und antworten Sie mit *Ja* oder *Nein*.**

1 Nimmt Dominique den Zahnarzttermin am Nachmittag? ______
2 Möchte Dominique einen Kontrolltermin? ______

Heute ist der einundzwanzigste vierte.
Ich komme am einundzwanzigsten vierten.

▶ 2|15 **c Hören Sie noch einmal. Warum passen die Termine für Dominique nicht? Ordnen Sie zu und schreiben Sie Sätze. Achtung: Nur zwei Lösungen passen.**

wichtige Termine haben   keine Zahnschmerzen haben
im Ausland sein   keine Zeit haben

1 Der einundzwanzigste vierte geht für Dominique nicht. Am einundzwanzigsten vierten ____________.
2 Der achtundzwanzigste vierte geht für Dominique nicht. Am achtundzwanzigsten vierten ____________.

▶ 2|16 **d Ordnen Sie die Monate. Hören Sie und sprechen Sie nach.**

April   Februar   Oktober   März   Dezember   Juli
Mai   1 Januar   September   Juni   August   November

▶ 2|17 **e Ergänzen Sie. Hören Sie dann und vergleichen Sie.**

1. der erste	4. der vierte	7. der siebte	20. der zwanzigste
2. der zweite	5. der ______	8. der ______	21. ____________
3. der dritte	6. der ______	... ...	30. der dreißigste

f **Partnerarbeit. Fragen Sie und antworten Sie.**

- Wie heißt der dritte Monat im Jahr?
- ▪ März. Und wie heißt der siebte Monat?

2 | 18 **g** **Später oder früher? Hören Sie und ergänzen Sie.**

- Guten Tag, ich habe einen Termin im März, ich möchte aber gern früher kommen. Geht das?
- ▪ Wann ist Ihr Termin?
- Am ____________
- ▪ Geht der ____________?
- Wie bitte? Wann? Können Sie das bitte wiederholen?
- ▪ Können Sie am ____________?
- Ja, das geht. Vielen Dank.

Wann?
im Januar / Februar / ...
am ersten Januar

Termin: 10. 11.
früher: 9. 11.
später: 11. 11.

h **Rollenspiel. Sprechen Sie wie in g. Sie haben einen Termin, aber Sie möchten früher/später kommen.**

Partner A
Gespräch 1: *Ihr Termin:* 15. 7.
(Sie möchten früher kommen)

Gespräch 2: *Freier Termin:* 1. 2. / 7. 2.

Partner B
Gespräch 1: *Freier Termin:* 12. 7. / 18. 7.

Gespräch 2: *Ihr Termin:* 6. 2.
(Sie möchten später kommen)

AB A3 Reaktionen auf Gesundheitsprobleme

gut ☺ – besser ☺☺

Lesen Sie und ergänzen Sie. Ordnen Sie dann die Texte aus 1a zu.

Holt unbedingt einen Arzt. Bleiben Sie heute einfach zu Hause. Ruf doch bitte im Büro an.

1 ☐
Sehr geehrte Frau Huber,
kein Problem. ____________
____________ Frau Mühldorfer
übernimmt Ihre Termine.
Gute Besserung.
Mit freundlichen Grüßen
Walter Schneider

2 ☐
Liebe Lotte, lieber Hans,
40 Grad Fieber, das ist viel!
____
Hoffentlich geht es Hans bald besser.
Liebe Grüße
Gerda

3 ☐
Liebe Dominique,
natürlich übernehme ich deine Termine, aber ich habe noch einige Fragen. ____________
____
Gute Besserung
Helga

AB A4 Vorschläge

a **Partnerarbeit. Was ist gut für die Gesundheit? Was ist nicht gut? Ordnen Sie zu.**

viele Tabletten nehmen nicht rauchen schnell Auto fahren viel schlafen nie Urlaub machen viel Schokolade essen immer in der Wohnung bleiben viel Obst/Gemüse essen im Garten arbeiten jeden Abend ausgehen oft lachen jeden Tag eine Flasche Bier/Wein trinken Sport machen oft baden viel Kaffee/Tee trinken in der Sonne liegen spät aufstehen schon am Morgen den Computer anmachen ...

gut für die Gesundheit	weiß nicht	nicht gut für die Gesundheit

b **Schreiben Sie Imperativformen mit Verben aus a.**

machen	~~du~~ mach~~st~~ →	Mach!	~~ihr~~ macht →	Macht!	Sie machen →	Machen Sie!
fahren	~~du~~ fähr~~st~~ →	Fahr!	~~ihr~~ fahrt →	Fahrt!	Sie fahren →	Fahren Sie!
nehmen	~~du~~ nimm~~st~~ →	Nimm!	~~ihr~~ nehmt →	Nehmt!	Sie nehmen →	Nehmen Sie!
anmachen	~~du~~ mach~~st~~ ... an →	Mach ... an!	~~ihr~~ macht ... an →	Macht ... an!	Sie machen ... an →	Machen Sie ... an!
trinken		Trink!		Trinkt!		Trinken Sie!

c **Partnerarbeit. Wie bleibt man gesund? Was empfehlen Sie? Schreiben Sie vier bis fünf Tipps.**

Lachen Sie oft! Das ist gut für die Gesundheit.

AB B1 Tattoos

▶ 2|19 **a** **Der Körper. Hören Sie und sprechen Sie nach.**

1 • Kopf 2 • Hals 3 • Gesicht 4 • Auge
5 • Arm 6 • Hand 7 • Finger 8 • Bein
9 • Fuß 10 • Zeh 11 • Bauch 12 • Brust
13 • Rücken 14 • Nase 15 • Mund 16 • Ohr

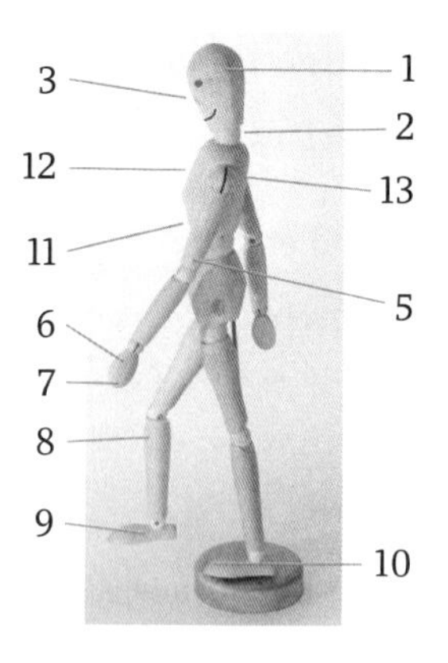

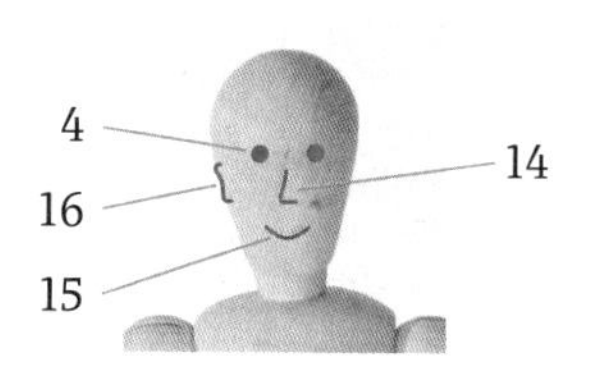

b **Partnerarbeit. Fragen Sie: „Was ist Nummer ...?" Ihre Partnerin / Ihr Partner sagt den Namen.**

▶ 2|20 **c** **Lesen Sie und hören Sie den Text. Warum können Tattoos ein Problem sein?**

Tattoos

Tattoos sind in. Seit den 90er-Jahren sind sie in ganz Europa modern. In Deutschland hat schon jeder vierte unter dreißig ein Tattoo. Frauen und Männer finden verschiedene Tattoos interessant: Blumenmotive auf dem Fuß oder auf der Hand finden viele Frauen schön, männliche Tattookunden mögen Tiermotive auf dem Arm oder auf dem Rücken.
Das Problem: Schon nach sechs Monaten wollen viele ihr Tattoo nicht mehr haben: Manuel hat zum Beispiel ein Clowntattoo auf seinem Fuß. Den Clown findet seine neue Freundin nicht so toll. Maria hat Blumentattoos auf ihren Händen und Fingern. Die mag ihr Chef aber nicht so gern. Besonders Tattoos auf dem Hals oder im Gesicht sind ein Problem, denn man kann sie immer sehen. Oft hilft dann nur der Arzt: Er kann das Tattoo entfernen[1]. Man muss sein Tiertattoo auf dem Bein oder die Gitarre auf der Brust dann nicht das ganze Leben lang tragen.

[1] wegmachen

Weibliche (♀) Tattookunden mögen Blumenmotive.

Männliche (♂) Tattookunden mögen Tiermotive.

d **Lesen Sie den Text noch einmal. Sind die Sätze richtig oder falsch?**

	richtig	falsch
1 25 von 100 Deutschen haben ein Tattoo.		
2 Frauen und Männer mögen andere Tattoomotive.		
3 Tattoos findet man das ganze Leben lang gut.		
4 Freunde oder Chefs mögen die Tattoos manchmal nicht.		
5 Tattoos muss man sein ganzes Leben lang tragen.		

helfen
du hilfst, er/es/sie hilft

e **Welche Körperteile stehen im Text? Markieren Sie sie in a.**

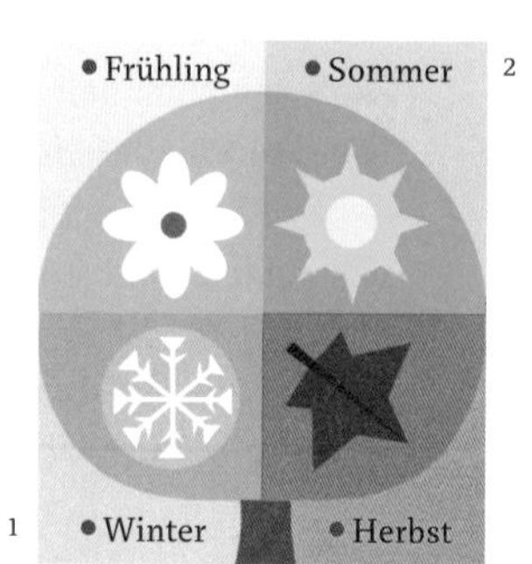

AB B2 Tattoos als Problem

a **Was passt? Lesen Sie die Texte und ergänzen Sie.**

Mein Tattoo muss weg

Ihr- ~~mein-~~ mein- sein-

tanja27 24. 3.

Ich habe ein Tattoo auf _meinem_ Arm. Im Winter[1] ist es kein Problem. Es ist kalt und unter ______ Kleidung sieht man das Tattoo nicht. Aber im Sommer[2] sieht man das Tattoo. Mein Chef sagt: „Das Tattoo auf ______ Arm mögen die Kunden nicht." Deshalb will ich es jetzt wegmachen. Übrigens, mein Chef hat ein Tattoo auf ______ Bein.

Dativ
auf meinem • Rücken
auf meinem • Gesicht
auf meiner • Hand
auf meinen • Beinen
auch so: dein-/sein-/ihr-/unser-/eur-/ihr-/Ihr-/ein-/kein-

mein- mein- ihr- ihr- unser-

anonym 24. 3.

Meine Freundin hat ein Tattoo auf ____________ Hand. Dort steht der Name von ____________ Exfreund. Auf ____________ Hand steht der Name von ____________ Exfreundin. Das finden wir beide nicht gut. Deshalb wollen wir die Tattoos wegmachen. Wie geht das? Hat jemand einen Tipp? Übrigens, wir wollen jetzt beide ein Tattoo mit ____________ Namen.

sein- eur- eur-

experte 101 25. 3.

Der Arzt kann eure Tattoos lasern, dann sieht man sie auf ____________ Händen nicht mehr. Tattoos sind meistens bunt[1]. Der Arzt kann mit ____________ Laser immer nur eine Farbe entfernen. Deshalb braucht man drei oder mehr Arzttermine. Aber ihr müsst zwischen ____________ Arztbesuchen einige Wochen warten. Das Lasern ist schmerzhaft und teuer.

[1] viele Farben

von wem? *von* + Dativ
der Name von seiner Exfreundin

Mit einem Laser kann der Arzt Tattoos entfernen.

2|21 **b** **Hören Sie die Texte und vergleichen Sie.**

c **Ergänzen Sie die Antworten (a–c) und ordnen Sie sie den Fragen (1–3) zu.**

1 Warum will Tanja (tanja 27) kein Tattoo mehr haben?
2 Warum wollen Marko (anonym) und seine Freundin ihre Tattoos nicht mehr haben?
3 Warum braucht man drei oder mehr Arzttermine?

a Der Arzt kann immer nur ____________________ entfernen.
b Ihre Tattoos sind die Namen von ____________________.
c Ihr ____________ sagt, die ____________________ mögen keine Tattoos.

d **Schreiben Sie die Sätze aus c mit *deshalb* wie im Beispiel.**

1 Tanjas Chef sagt, die Kunden mögen keine Tattoos.
Deshalb will Tanja kein Tattoo mehr haben.
2 ...
3 ...

Tanjas Chef sagt, die Kunden mögen keine Tattoos. Deshalb will Tanja kein Tattoo mehr haben.

AB B3 Viele Farben

a **Schreiben Sie die Farben zum Tattoo wie im Beispiel.**

1 schwarz 2 weiß 3 rosa 4 lila
5 gelb 6 grau 7 rot 8 blau
9 braun 10 grün 11 beige 12 orange

blau

2|22 **b** **Hören Sie und sprechen Sie nach.**

c **Das Tattoo muss weg. Wievielmal muss der Arzt lasern?**

d **Logische Reihen. Ergänzen Sie die richtigen Farben und schreiben Sie die Lösung.**

A B C

A: Nach den Farben Gelb, Gelb, Rot kommt immer ... Deshalb ist die Lösung ... B: Nach Lila kommt ... Deshalb ...

e **Partnerarbeit. Zeichnen Sie logische Reihen für Ihre Partnerin / Ihren Partner. Sie/Er findet die Lösung.**

C1 Fahrradkuriere sind schnell

a **Sehen Sie die Bilder an und ordnen Sie die Dialogteile zu.**

a 

b 

c 

1 • O. k., Dirk, ganz langsam. ... Wo warst du heute? Wann hattest du deine Brieftasche noch?

2 ▪ Bezahlen, bitte ...
• Warte, das mache ich ...

1  2 

3 ▪ Das ist nicht meine Brieftasche. In meiner Brieftasche hatte ich meinen Ausweis[1] und meine Kreditkarte[2]. Die sind weg.

b **Was ist Dirks Problem? Sprechen Sie.**

AB **C2 Wer war wo?**

▶ 2|23 a **Wo war Dirk wann? Hören Sie und ergänzen Sie die Tabelle rechts.**

in der Firma 7:30 Uhr im Krankenhaus 11:30 Uhr

Zeit	Ort
	zu Hause
9:00 Uhr	am Bahnhof
9:45 Uhr	in der Apotheke
10:30 Uhr	
	in der Post
11:45 Uhr	
12:30 Uhr	im Café mit Karen

b **Wer hat Dirks Brieftasche? Kreuzen Sie an.**

Dirks Chef   Dirks Freund Leo
Karen   Karens Freundin Sarah

c **Lesen Sie die Dialoge und ergänzen Sie das Präteritum von *sein*. Ordnen Sie die Namen zu.**

Karen ~~Dirks Chef~~ Dirk Leo Karen

Präteritum *sein*	
ich	war
du	warst
er/es/sie	war
wir	waren
ihr	wart
sie/Sie	waren

1 
Dirks Chef: Wo waren Sie um Viertel vor zehn, Herr Lehmann?
Dirk: Ich ________ in der Apotheke.

2
________: Wo ________ ihr um Viertel vor zwölf?
Dirk und ________: Wir ________ in der Firma.

3 
Leo: Sag mal, Dirk. Wo ________ Karen denn gestern um halb eins?
________: Sie ________ im Café.

4 
Karens Freundin Sarah: Wo ________ Dirk und Leo um Viertel vor zwölf?
________: Sie ________ in der Firma.

d **Wo waren Sie? Notieren Sie Antworten.**

gestern Morgen / um 6:00 Uhr   gestern Vormittag / um 9:30 Uhr   gestern Mittag / um 13:30 Uhr
gestern Nachmittag / um 17:00 Uhr   gestern Abend / um 18:00 Uhr   gestern Nacht / um 23:30 Uhr

Gestern Morgen um sechs Uhr war ich zu Hause.

e **Partnerarbeit. Sprechen Sie wie im Beispiel.**

- Wo warst du gestern Nachmittag um fünf?
- Ich war im Supermarkt.

Wann?
heute Morgen / Abend / ...
gestern Morgen / Abend / ...

f **Sprechen Sie im Kurs.**

Veronika war gestern Nachmittag um fünf im Supermarkt.

AB C3 Wann hatte Dirk seine Brieftasche noch?

Ergänzen Sie die Uhrzeiten (......) und Verben im Präteritum (~~~~).
Die Informationen finden Sie in 2a.

Um 7:30 Uhr war (sein) Dirk zu Hause. Da ______ (haben) er seine Brieftasche und seinen Ausweis noch. Um ______ ______ (sein) Dirk in der Post. Dort ______ (haben) er seine Brieftasche auch noch. Um ______ ______ (sein) Dirk und Leo in der Firma. Sie ______ (haben) Probleme mit ihren Fahrrädern. Die Brieftasche von Dirk ______ (sein) da schon in Leos Tasche.

Präteritum	*haben*
ich	hatte
du	hattest
er/es/sie	hatte
wir	hatten
ihr	hattet
sie/Sie	hatten

AB C4 Gestern hatten wohl alle Probleme ...

a **Lesen Sie die Sätze. Ordnen Sie zu (____) und ergänzen Sie die richtige Form von *haben* (~~~~).**

• Zeit   • Fahrkarte   • Geschenk   • Badesachen
• Briefmarke   • Zucker   • ~~Einladung~~

1 Gestern war das Fest im Rathaus. Hatten Sie keine Einladung, Frau Franke?
2 Wir waren gestern am Zürichsee, leider ______ wir keine ______.
3 Im Bus war ein Kontrolleur, ich ______ keine ______.
4 Der Brief war fertig, aber Egon ______ keine ______.
5 Ihr ______ keine ______. Deshalb waren wir ohne euch im Kino.
6 Gestern war Nadjas Geburtstagsparty. Lars und Paula ______ kein ______.
7 Du ______ keinen ______. Deshalb war der Kaffee so bitter.

b **Sie hatten gestern nur Probleme.**
Wie viele Sätze mit *war/hatte* können Sie in vier Minuten schreiben?

Die Kaffeemaschine war kaputt.
Wir hatten kein ...

c **Gruppenarbeit. Sprechen Sie mit Ihren Ideen aus b und antworten Sie wie im Beispiel.**

Gestern war unsere Kaffeemaschine kaputt.

Das ist doch nicht so schlimm.

Das ist doch kein Problem.
Das ist doch nicht (so) schlimm.
Das macht doch nichts.

Grammatik

Verb

Imperativ

	du-Form	*ihr-Form*	*Sie-Form*
holen	~~du~~ hol~~st~~ → Hol!	~~ihr~~ holt → Holt!	Sie holen → Holen Sie!
fahren	~~du~~ fähr~~st~~ → Fahr!	~~ihr~~ fahrt → Fahrt!	Sie fahren → Fahren Sie!
trinken	~~du~~ trink~~st~~ → Trink!	~~ihr~~ trinkt → Trinkt!	Sie trinken → Trinken Sie!
nehmen	~~du~~ nimm~~st~~ → Nimm!	~~ihr~~ nehmt → Nehmt!	Sie nehmen → Nehmen Sie!
an|rufen	~~du~~ ruf~~st~~ an → Ruf an!	~~ihr~~ ruft an → Ruft an!	Sie rufen an → Rufen Sie an!

Präteritum – *haben, sein*

	sein	haben
ich	war	hatte
du	warst	hattest
er/es/sie	war	hatte
wir	waren	hatten
ihr	wart	hattet
sie/Sie	waren	hatten

Nomen

unbestimmter Artikel / Negativartikel / Possessivartikel – Dativ

	Nominativ		Dativ		
Singular					
• maskulin	ein/kein/mein	Rücken/...	einem/keinem/meinem	Rücken	-em
• neutral	ein/kein/mein	Gesicht/...	einem/keinem/meinem	Gesicht	-em
• feminin	eine/keine/meine	Hand/...	einer/keiner/meiner	Hand	-er
Plural					
•	–/keine/meine	Haare/...	–/keinen/meinen	Haaren/...	-en + -n*

* ohne *-n* nach Plural-*s*: keinen Fotos

Präposition

modal *(von wem?)* – *von*

der Name von seiner Exfreundin

Satz

Konjunktion – *deshalb*

	Position 2		Ende
Ich	finde	mein Tattoo nicht	gut,
deshalb	will	ich es	wegmachen.

Zahlen

Ordinalzahlen – Datum

eins	der erste
zwei	der zweite
drei	der dritte

vier	der vierte
...	
sieben	der siebte

...	
zwanzig	der zwanzigste
dreißig	der dreißigste

auch so nach Singular *das/die*

21. 4.	der einundzwanzigste vierte
Am 21. 4.	am einundzwanzigsten vierten

Redemittel

Probleme beschreiben

Meine Waschmaschine /... ist kaputt. Ich kann nicht mehr waschen/...
Ich muss ... kaufen/... Aber das will ich nicht /... Ich denke, man kann (auch) ...

Gesundheitsprobleme beschreiben

Ich bin krank. | Ich habe Fieber.
Ich habe Zahnschmerzen/...
Ich kann heute nicht arbeiten/ kommen/...

Vorschläge machen

Lachen Sie oft. Das ist gut für die Gesundheit.

Termin ausmachen

Ich möchte einen Termin.
Geht der ...? / Geht es am ... / Können Sie am ...?
Ich habe einen Termin im/am ... Ich möchte aber gern früher/später kommen.
Wann ist Ihr Termin? – Am ...
Ja, das geht. / Nein, das geht leider nicht.

über Vergangenes berichten

Wo warst du/waren Sie gestern Nachmittag ... um fünf / ...?
Ich war ...
Hatten Sie da ...

Genesungswünsche

Gute Besserung ...
Hoffentlich geht es dir/Ihnen bald besser ...

nützliche Sätze

Wie bitte?
Können Sie das bitte wiederholen?
Das ist doch kein Problem.
Das ist doch nicht (so) schlimm.
Das macht doch nichts.
Sehr geehrte Frau / Sehr geehrter Herr ..., / Liebe/r ...,
Mit freundlichen Grüßen / Liebe Grüße ...

Wohin fahren Sie?

Schiffsreise in Österreich

Zugfahrt in der Schweiz

Flug nach Frankfurt

Autofahrt in Deutschland

Reiselust

a **Wer von Ihren Freunden oder Verwandten reist gern? Lesen Sie die Fragen und machen Sie Notizen (ein oder zwei Personen) wie im Beispiel.**

Reist die Person beruflich/privat? Rosa und Lilli; Freizeit ☺, beruflich ☹
Wo war die Person schon?
Wo war die Person noch nicht?

b **Lesen Sie. Warum reist Albert nicht gern privat?**

Willy: Mein Bruder Albert ist Kaufmann von Beruf. Er liebt seinen Beruf. Albert muss beruflich sehr viel reisen, deshalb reist er in seiner Freizeit nicht gern. Das findet seine Frau Uta nicht so gut. Albert kennt Europa sehr gut. Er war schon in Frankreich, Deutschland und Spanien. Aber er war noch nicht in Afrika, Amerika oder Asien.

c **Schreiben Sie einen Text mit Ihren Ideen aus a.**

Meine Cousinen Rosa und Lilli reisen viel in ihrer Freizeit.
Sie müssen beruflich ... Aber das finden sie nicht gut/... Sie waren schon in ...

d **Partnerarbeit. Lesen Sie und sprechen Sie.**

Rosa und Lilli reisen ... Sie waren schon in ...

... kenne ich auch sehr gut.

Ich war auch schon in ...

Sie lernen

- *über Reisen sprechen*
- *über Abfahrts- und Ankunftszeiten sprechen*
- *über das Wetter sprechen*

Grammatik

- Konjugation *werden*
- Präpositionen mit Dativ
- Perfekt mit *haben*
- Satzklammer – Perfekt
- Präpositionen *nach, von ... zu, bei, mit*

Wortschatz

- Verkehrsmittel
- Urlaub

AB A1 Es geht los!

▶ 2|24 **a Was passt? Lesen Sie und ordnen Sie zu. Hören Sie dann und vergleichen Sie.**

a ☐ 
eine Bahnfahrt machen

b ☐ 
campen

c ☐  
eine Flugreise machen

1 den Schlafsack einpacken | einen Campingplatz suchen | im Zelt übernachten
2 das Zugticket kaufen | den Bahnsteig und das Gleis finden | einsteigen
3 das Gepäck einchecken | den Pass zeigen und durch die Sicherheitskontrolle gehen | das Gate finden

▶ 2|25, 26 **b Lesen Sie und hören Sie. Reisen die Personen gern? Warum? Warum nicht?**

Weg von zu Hause …

Ich liebe Straßen, Autobahnen, Bahnhöfe und Flughäfen. Sie bringen mich weg von zu Hause. Ich will andere Länder und Menschen kennenlernen, ich will reisen. Ich fühle mich überall zu Hause. Ich übernachte in Hotels, Jugendherbergen, auf Campingplätzen, aber auch in der freien Natur. Meine nächste Reise geht nach Island. Ich weiß, Reisen kostet Geld. Deshalb möchte ich ein Buch mit Islandfotos drucken und dann verkaufen. Geld für mein Projekt bekomme ich auch über Crowdfunding: Im Internet gibt es eigene Crowdfunding-Seiten. Dort stelle ich mein Islandprojekt mit einem Film vor. Die Menschen sehen dann den Film, mögen meine Ideen und spenden Geld. Das hilft.
Laura, 24

Ich bin Informatiker. Ich arbeite meistens zu Hause. Einmal im Jahr muss ich beruflich nach London reisen. Das mag ich überhaupt nicht. Ich buche[1] mein Flugticket im Internet und dann geht's los: Zuerst muss ich mit dem Zug nach München fahren. Vom Bahnhof zum Flughafen nehme ich die S-Bahn. Am Flughafen muss ich mein Gepäck einchecken und zum Gate gehen. In London muss ich dann mein Gepäck abholen, durch den Zoll gehen und mit dem Bus zum Hotel fahren. Nach acht Stunden kann ich endlich meine Koffer und Taschen auspacken. Acht Stunden lang Stress pur! Viele Menschen finden Reisen toll. Ich kann das überhaupt nicht verstehen. Ich bleibe lieber zu Hause.
Mathias, 36

[1] kaufen

c Lesen Sie die Texte noch einmal. Was passt? Verbinden Sie.

1 Straßen und Autobahnen bringen	ein Buch mit Islandfotos	lang und stressig.
2 Laura möchte	Laura weg	drucken und verkaufen.
3 Auf einer Crowdfunding-Seite können	einmal im Jahr	von zu Hause.
4 Mathias muss	die Reise nach London	Geld spenden.
5 Mathias findet	Personen für Lauras Projekt	nach London reisen.

▶ 2|27 **d Fortbewegung. Schreiben Sie die Wörter. Hören Sie dann und sprechen Sie nach.**

1  2  3  4  5  6  7  8  9  10 

1 Straßenbahn, 2 U-Bahn, 3 zu Fuß, 4 …

Wie? *mit* + Dativ
mit dem • Zug
dem • Taxi
der • U-Bahn
den • Zügen

e Partnerarbeit. Was machen Sie lieber? Warum? Sprechen Sie wie im Beispiel. Erzählen Sie dann im Kurs.

teuer langsam langweilig einfach stressig interessant günstig schnell gesund

- Fährst du lieber mit dem Zug oder mit dem Bus?
- Mit dem Bus, das ist schnell und günstig.

Maria fährt lieber mit dem Bus. Sie sagt, das ist schnell und günstig.

gern = ☺
lieber = ☺☺

A2 Vor der Reise

> **Wohin? *zu* + Dativ**
> zum (zu + dem) • Supermarkt
> zum (zu + dem) • Reisebüro
> zur (zu + der) • Apotheke
> zu Julia

a **Wohin müssen Sie? Ergänzen Sie *zum* oder *zur*. Ordnen Sie dann zu.**

a • zur Apotheke	4	1	Getränke für die Reise einkaufen
b • zum Reisebüro		2	Geld holen
c • ___ Sportgeschäft		3	die Tickets abholen
d • ___ Bank		4	~~Medikamente kaufen~~
e • ___ Bibliothek		5	Badehosen kaufen
f • ___ Supermarkt		6	Bücher zurückgeben

2|28 **b** **Partnerarbeit. Hören Sie. Sprechen Sie dann mit den Informationen aus a wie im Beispiel.**

- Wir müssen noch Medikamente kaufen. Gehst du zur Apotheke?
- Ich habe leider keine Zeit. Kannst du das nicht machen?
- Ja, das kann ich machen.

2|29 **c** **Was passt? Ergänzen Sie. Hören Sie dann und vergleichen Sie.**

vom zum beim im

- Hallo Birgit, wo bist du denn?
- Ich bin jetzt ___ Supermarkt. Und wo bist du?
- Ich bin ___ Arzt. Aber ich bin fertig. Ich warte hier schon eine Viertelstunde.
- Ich komme sofort. ___ Supermarkt ___ Arzt brauche ich ja nur sechs Minuten.

> **Woher? *von* + Dativ**
> vom (von dem) • Arzt
> vom (von dem) • Reisebüro
> von der • Apotheke
> von Julia

> **Wo? *bei* + Dativ**
> (eine Person)
> beim (bei + dem) • Arzt
> bei der • Ärztin
> bei Julia

> **Wo? *im* + Dativ**
> (Ort, Gebäude/...)
> im • Supermarkt

d **Wie lange brauchen Sie? Rechnen Sie, ergänzen Sie und schreiben Sie Sätze wie im Beispiel.**

Supermarkt → Sportgeschäft:	300 m	4 Min.
Arzt → Reisebüro:	600 m	___ Min.
Supermarkt → Bank:	900 m	___ Min.
Julia → Friseur:	750 m	___ Min.
Apotheke → Supermarkt:	450 m	___ Min.

Vom Supermarkt zum Sportgeschäft brauche ich vier Minuten.

e **Partnerarbeit. Sprechen Sie wie in c mit den Informationen aus d.**

AB **A3 Eine Reise planen**

a **Niklas möchte auf seiner Reise drei Personen besuchen. Lesen Sie und notieren Sie seine Reiseroute.**

N W O S

• Süden, Westen, Norden, Osten

Niklas

Zuerst fahre ich mit dem Zug von Mannheim nach Frankfurt. Von Frankfurt fliege ich mit dem Flugzeug direkt nach Atlanta. Doug kommt zum Flughafen und wir fahren dann mit seinem Auto zu seinem Haus. Drei Wochen später fliege ich von Atlanta nach Wien. Dort besuche ich meinen Freund Walter. Von Wien fahre ich mit dem Zug nach München, dort wohnt meine Schwester Julia, und dann fahre ich von München mit dem Zug nach Norden, zurück nach Mannheim.

> **Wohin?**
> nach Frankfurt/...
> nach Norden/...

nach + Städtenamen, Ländernamen, Himmelsrichtungen ohne Artikel

b **Wohin? Lesen Sie den Text noch einmal und schreiben Sie.**
nach: Frankfurt, ... zum/zur: Flughafen, ...

c **Sie möchten drei Freunde im Inland und/oder im Ausland besuchen. Wie reisen Sie? Machen Sie Notizen und beschreiben Sie den Weg.**

> **Woher?**
> von Mannheim/...

Anna: Zug von ...

Zuerst besuche ich Anna. Ich fahre mit dem Zug von ...

B

AB B1 Stress im Büro

▶ 2|30 **a** **Hören Sie die beiden Nachrichten auf dem Anrufbeantworter und unterstreichen Sie in der Tabelle: Was für Zimmer möchten Frau Wolf (______) und Mark (______) haben?**

Zimmer?		*Wie viele Nächte?*	*Essen und Trinken?*	*Wo und wie?*
2 Einzelzimmer	mit Bad	eine Nacht	Frühstück	ruhig
___ Doppelzimmer		drei Tage	Vollpension	günstig
___ Appartement	ohne Bad	zwei Nächte	Halbpension	im dritten Stock

▶ 2|31 **b** **Hören Sie zu. Frau Weber reserviert die Zimmer für Frau Wolf. Sie macht zwei Fehler. Finden Sie sie.**

Fehler 1: Frau Weber reserviert ... Fehler 2: ...

▶ 2|31 **c** **Wer sagt was? Hören Sie noch einmal. Ordnen Sie zu und ergänzen Sie wie im Beispiel.**

Rezeptionistin, Angelika Seidl (A) Frau Weber (B)

A	1 Was kann ich ...	e	a ... die Rechnung.
___	2 Ich brauche ...		b ... das Geld.
___	3 Wie lange ...		c ... ein Zimmer für zwei Personen mit Bad.
___	4 Können Sie noch einmal ...		d ... Ihren Namen sagen?
___	5 Schicken Sie uns bitte ...		~~e ... für Sie tun?~~
___	6 Das Zimmer ist für ...		f ... möchten Sie bleiben?
___	7 Wir überweisen ...		g ... Sie reserviert.

d **Zimmer reservieren. Was brauchen Sie als Gast? Kreuzen Sie an und ergänzen Sie.**

am 11. 4.	ein Einzelzimmer		eine Nacht	mit Frühstück
am ______	ein Doppelzimmer	mit Bad	___ Nächte	mit Halbpension
	ein Appartement	ohne Bad	eine Woche	mit Vollpension
			___ Wochen	

e **Partnerarbeit. Machen Sie Dialoge mit den Informationen aus d.**

Rezeptionist/Rezeptionistin	**Gast**
Guten Tag, Hotel Mirabell, ... Was kann ich für Sie tun?	*Guten Tag / Hallo, hier spricht ... Ich brauche am ... ein ...*
Gern, möchten Sie ein Einzel- oder ein Doppelzimmer?	*Ein ... mit Bad / ohne Bad.*
Wie lange möchten Sie bleiben?	...
Möchten Sie das Zimmer mit Frühstück?	*Wie viel kostet ...?*
Mit/Ohne Frühstück ... Euro pro Nacht.	*Das sind ... Euro. Gut, ich nehme ...*
Können Sie noch einmal Ihren Namen sagen?	...
Zahlen Sie mit Karte/bar?	*Nein, schicken Sie uns bitte die Rechnung.*
	Wir überweisen das Geld.
	Nein. / Ja, wir zahlen mit Karte/bar ...
Das Zimmer ist für Sie reserviert.	*Vielen Dank. Auf Wiederhören.*
Auf Wiederhören.	

AB B2 Helfen Sie Frau Weber!

a **Lesen Sie Frau Wolfs E-Mail. Wann muss sie reisen? Wohin? Was will sie wissen? Sprechen Sie.**

Liebe Frau Weber, ich habe einen Termin bei Siemens. Deshalb muss ich in zwei Tagen nach Frankfurt reisen: Hinfahrt Mittwoch 16. 5., Rückfahrt Donnerstag 17. 5. Bitte organisieren Sie meine Reise (Berlin – Frankfurt – Berlin). Wie wird denn das Wetter in Frankfurt?
Liebe Grüße, Hella Wolf

bei Siemens

	werden
du	wirst
er/es/sie	wird

b **Partnerarbeit. Lesen Sie die Wünsche von Frau Wolf (Partner 1: A, Partner 2: B). Lesen Sie dann die Informationen. Was passt zu A, was zu B? Suchen Sie die Verbindungen.**

A
1. Frau Wolf möchte günstig reisen.
2. Frau Wolf möchte am Donnerstag vor 18:00 Uhr zurück in Berlin sein.

B
3. Frau Wolf möchte am Mittwoch vor 11:00 Uhr in Frankfurt sein.
4. Frau Wolf möchte nicht lange sitzen und nicht fliegen.

Zugverbindungen *Keine Sparangebote am Schalter*

Bahnhof	Datum	Abfahrt/ Ankunft	Fahrzeit	Preis
Hinfahrt				
Berlin Hbf Frankfurt Hbf	16. 5.	ab 6:37 an 11:53	5:16	69 €
Berlin Hbf Frankfurt Hbf	16. 5.	ab 8:08 an 11:42	3:34	89 €
Rückfahrt				
Frankfurt Hbf Berlin Hbf	17. 5	ab 13:06 an 17:51	4:47	99€
Frankfurt Hbf Berlin Hbf	17. 5.	ab 15:19 an 20:05	4:46	69 €

Flugverbindungen

	Datum	Abflug/ Ankunft	Dauer	Preis
Berlin nach Frankfurt	16. 5.	ab 8:30 an 9:45	1h 15	111 EUR
Frankfurt nach Berlin	17. 5.	ab 16:25 an 17:35	1h 10	79 EUR

Situation ...

2|32 **c** **Hören Sie. Sprechen die Personen über Situation 1, 2, 3 oder 4? Notieren Sie.**

2|32 **d** **Hören Sie noch einmal und lesen Sie. Wie ist die Reihenfolge im Text? Ordnen Sie.**

	Fährt sie mit dem Zug oder fliegt sie?	*Sie fährt mit dem Zug. / Sie fliegt.*
	Wie lange dauert die Bahnfahrt / der Flug?	*Die Bahnfahrt / Der Flug dauert ... Stunden und ... Minuten.*
	Wann fährt der Zug ab? / Wann fliegt das Flugzeug ab?	*Um ...*
1	*Was möchte Frau Wolf?*	*Sie möchte günstig reisen / ...*
	Wie viel kostet die Bahnfahrt / der Flug?	*Die Zugfahrt / Der Flug kostet ... Euro.*
	Wann kommt der Zug an? / Wann kommt das Flugzeug an?	*Um ...*

e **Partnerarbeit. Was möchte Frau Wolf? Wie reist sie? Sprechen Sie mit den Informationen aus b wie in d.**

AB B3 Wie wird das Wetter in Frankfurt?

2|33 **a** **Hören Sie. Wie ist das Wetter am Dienstag, Mittwoch und Donnerstag? Ordnen Sie zu.**

1 [C] **Mo** 14. 5. (= heute) 2 [ ] **Di** 15. 5. 3 [ ] **Mi** 16. 5. 4 [ ] **Do** 17. 5.

a Es sind 20 Grad. Die Sonne scheint und es ist windig. 

b Es ist kalt. Es sind 14 Grad. Es regnet stark. 

c Es ist warm. Es sind 22 Grad. Die Sonne scheint. 

d Es sind 17 Grad. Es regnet leicht.

Angelika Weber und Gudrun Klein im Büro

b **Wie wird das Wetter am Freitag, Samstag und Sonntag? Schreiben Sie.**

Mo 22°, Sonne **Di** 20°, Wind **Mi** 17°, Regen **Do** 14°, starker Regen
Fr 16°, leichter Regen **Sa** 18°, Sonne **So** 23°, Sonne

Am Freitag sind es ...

Es ist kalt.

c **Partnerarbeit. Wann wird das Wetter so? Sprechen Sie mit den Informationen aus b wie im Beispiel.**

- Es regnet stark und es ist kalt. Es sind 14 Grad.
- So wird das Wetter am Donnerstag.

AB C1 Sehenswürdigkeiten

a Sehen Sie die Bilder an. Wo findet man die Sehenswürdigkeiten? In Deutschland (D), Österreich (A) oder in der Schweiz (CH)? Ordnen Sie zu.

1 ☐

Schloss Neuschwanstein
Das Schloss in Bayern ist 150 Jahre alt. Es war Vorbild für Walt Disneys „Cinderella Castle" in Disney Land. Viele Menschen besichtigen es jedes Jahr.

2 ☐

Großglockner-Hochalpenstraße
Schon vor 2000 Jahren war der Weg über den Großglockner für Kaufleute sehr wichtig. Die Autostraße von Österreich nach Italien war 1935 fertig.

3 ☐

Stiftsbibliothek in St. Gallen
In der Ostschweiz findet man das erste deutsche Buch. Der „Codex Abrogans" ist 1300 Jahre alt.

▶ 2|34 **b Ergänzen Sie. Hören Sie und vergleichen Sie.**

in St. Gallen   in Deutschland   ~~in der Schweiz~~
den Kölner Dom   die Bibliothek

> **Perfekt mit *haben***
> Ich habe den Dom gesehen.
> Position 2 — Partizip

1 • Warst du schon einmal _in der Schweiz_?
■ Ja, ich war ________________. Dort habe ich ________________ gesehen.

2 • Hast du schon einmal ________________ gesehen?
■ Nein, ich war noch nie ________________.

c Partnerarbeit. Sammeln Sie Namen von bekannten Sehenswürdigkeiten. Sprechen Sie dann wie in b.

der Eiffelturm (Frankreich)
die Sphinx (Ägypten)
das Taj Mahal (Indien) ...

Warst du schon einmal ...?

Ja, ich war schon ... Dort habe ich ... gesehen.

▶ 2|35 **d Hören Sie und lesen Sie. Die Personen haben Sehenswürdigkeiten aus a besucht. Ordnen Sie zu.**

A ☐
Vor fünf Jahren in ..., da habe ich Peter zum ersten Mal gesehen. Ich habe vor der Kasse im ... auf die Führung gewartet. Es waren sehr viele Leute da. Peter hat auch gewartet. Plötzlich hat er gesagt: „Eigentlich will ich das Schloss nicht sehen. Kommen Sie doch mit, gehen wir etwas trinken." Wir haben dann zwei Stunden Kaffee getrunken. Peter ist heute mein Ehemann. Lisa, 32

B ☐
Nach zwei Stunden in der ... hatte ich genug von Büchern. Draußen vor der Bibliothek habe ich ein Eis gekauft. Da habe ich plötzlich ein Handy auf dem Boden gefunden. Ich habe es genommen und zur Kasse gebracht. Dort war eine Touristin aus Japan, sie hat ihr Handy schon gesucht. Sie war sehr glücklich. Wir haben noch schnell ein Foto gemacht. Das Foto habe ich heute noch. Hanna, 25

C ☐
„Da möchte ich mit dem Fahrrad hochfahren!", war meine Idee. Aber 20 km den Berg hoch, das war doch sehr weit, und es war sehr heiß. Nach eineinhalb Stunden war ich kaputt[1]. Da hat eine Frau mich gefragt: „Kann ich Sie mitnehmen? Im Auto ist auch noch Platz für Ihr Fahrrad." Oben im Bergrestaurant haben wir dann gegessen. So habe ich meine Ehefrau Ines getroffen. Elias, 43

[1] sehr müde

e Lesen Sie noch einmal und ergänzen Sie die Tabelle.

	Ort	Personen	Aktivitäten
Geschichte A	Deutschland, ...	Lisa und ...	auf die Führung warten, ...
Geschichte B			
Geschichte C			

f **Suchen Sie die Partizipien in den Geschichten A–C. Schreiben Sie und ergänzen Sie den Infinitiv.**

trinken ~~sehen~~ fragen ~~sagen~~ treffen suchen warten bringen kaufen
essen nehmen machen finden

Partizip ge … en	Infinitiv	Partizip ge … t	Infinitiv
gesehen	sehen	gesagt	sagen
…	…	…	…

… habe … gesehen
… habe … gesagt

g **Ordnen Sie die Notizen zu Text A und B.**
Schreiben Sie dann Lisas und Hannas Geschichte noch einmal.

A **beim Schloss Neuschwanstein**
___ Kaffee getrunken
___ gesagt. „…“
1 ~~Peter gesehen~~
2 auf die Führung gewartet

B **vor der Bibliothek**
___ zur Museumskasse gebracht
___ gesucht
___ Handy gefunden
___ Foto gemacht

A 1 Vor fünf Jahren hat Lisa Peter zum ersten Mal gesehen.
2 Sie hat …

h **Partnerarbeit. Erzählen Sie die Geschichten A und B.**

Vor fünf Jahren …

AB C2 Auf Reisen

a **Welches Verb passt? Schreiben Sie Fragen im Perfekt.**

finden	1	Hast du neue Speisen gegessen ?
~~essen~~	2	___ du bekannte Personen ___ ?
treffen	3	___ du interessante Tiere ___ ?
trinken	4	___ du interessante Getränke ___ ?
sehen	5	___ du neue Freunde ___ ?

b **Sprechen Sie mit vier oder fünf Personen im Kurs. Erzählen Sie dann in der Gruppe.**

- Hast du neue Speisen gegessen?
- Ja, ich habe in Frankreich Schnecken gegessen. Sie waren sehr gut.

Loretta hat in Frankreich Schnecken gegessen. Sie waren sehr gut, sagt sie.

C3 Grüße aus dem Urlaub

a **Lesen Sie die Ansichtskarte. Finden Sie die Antworten und schreiben Sie.**

Hallo ihr Lieben,
wir sind jetzt schon vier Tage hier in Italien. Das Wetter ist toll. Die Sonne scheint, und es sind 28 Grad. Auch das Meer ist sehr warm. Die Fahrt war o. k. Wir waren in sieben Stunden am Meer. Das Hotel finden wir nicht so toll. Am Abend ist es sehr laut[1]. Aber die Zimmer sind sauber[2] und haben Meerblick. Das ist schön. Morgen fahren wir nach Venedig. Ich habe noch nie den Markusplatz gesehen. Das wird sicher toll.

Ciao
Sabina

1 Wie ist das Wetter? Das Wetter …
2 Wie war die Fahrt? …
3 Wie ist das Hotel? …

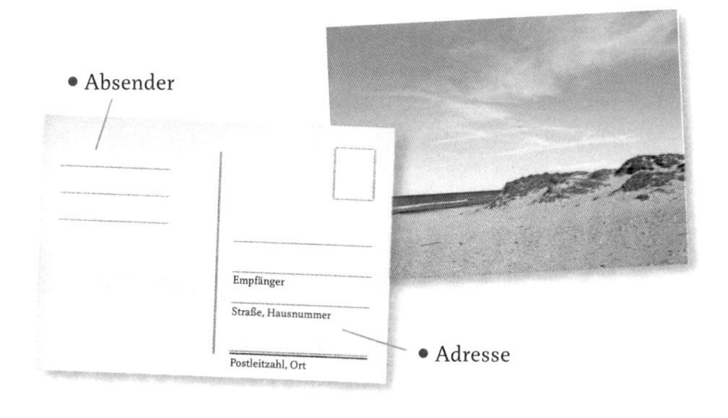

[1] nicht ruhig/leise [2] 

b **Sie haben in Ihrem Heimatland Urlaub gemacht. Schreiben Sie eine Ansichtskarte wie in a.**

Grammatik

Verb

Präsens – besondere Verben

	werden
ich	werde
du	wirst
er/es/sie	wird
wir	werden
ihr	werdet
sie/Sie	werden

Perfekt mit *haben*

	haben	Partizip
ich	habe	gesagt, gesehen, gebracht, ...
du	hast	
er/es/sie	hat	
wir	haben	
ihr	habt	
sie/Sie	haben	

	Infinitiv	Partizip	Formen	*auch so*
regelmäßige Verben	machen	gemacht	ge-...-(e)t	arbeiten → gearbeitet fragen → gefragt warten → gewartet
unregelmäßige Verben	trinken	getrunken	ge-...-en	nehmen → genommen treffen → getroffen
Mischverben	bringen	gebracht	ge-...-t	denken → gedacht

Satz

Satzklammer – Perfekt

	Position 2		Ende (Partizip)
Ich	habe	den Dom	gesehen.

Präposition

modal *(wie?)* – *mit* + Dativ

mit dem	• Bus
mit dem	• Taxi
mit der	• Straßenbahn
mit den	• Straßenbahnen

lokal *(wohin?)* – *zu* + Dativ

zum (zu dem)	• Flughafen
zum (zu dem)	• Sportgeschäft
zur (zu der)	• Apotheke
zu den	• Parkplätzen
zu	Julia

lokal *(wohin?)* – *nach*

nach Mannheim/Deutschland/ Europa/Norden/links/rechts

lokal *(wo?)* – *bei* + Dativ

beim (bei dem)	• Arzt
beim (bei dem)	• Kind
bei der	• Ärztin
bei den	• Freunden

ohne Artikel ich bin bei Julia /
ich arbeite bei Siemens

lokal *(woher?)* – *von* + Dativ

vom (von dem)	• Flughafen
vom (von dem)	• Sportgeschäft
von der	• Apotheke
von den	• Parkplätzen

auch: *aus dem Flughafen, aus der Türkei, ...*

lokal *(woher – wohin?)* – *von ... zu/nach*

vom Flughafen zum Parkplatz
vom Flughafen nach München

Redemittel

über Aufgaben sprechen

Wir müssen noch ... kaufen/...
Gehst du / Gehen Sie zum/zur ...?
Kannst du / Können Sie das nicht machen?
Ja, das kann ich machen.
Nein, ich habe leider keine Zeit.

Verabredung

Ich bin im/beim/bei ... Und wo bist du / sind Sie?
Ich bin ... Ich warte schon eine Stunde/...
Ich komme sofort. Vom/Von der ... brauche ich nur ... Minuten / ...

Zimmerreservierung

Möchten Sie ein Einzel- oder ein Doppelzimmer?
Mit Bad oder ohne Bad?
Wie lange möchten Sie bleiben?
Möchten Sie das Zimmer mit Frühstück?
Können Sie noch einmal Ihren Namen sagen?
Zahlen Sie mit Karte / bar?

über das Wetter sprechen

Wie ist/wird das Wetter morgen ...?
Wie wird das Wetter morgen in ...?
Es sind ... Grad. Es regnet stark / ...
Es ist warm / ... Die Sonne scheint.

Fahrplanauskunft

Ich möchte mit dem Zug nach ... fahren.
Ich möchte nach ... fliegen.
Wann fährt der Zug / fliegt das Flugzeug ab?
Wann kommt der Zug / das Flugzeug an?
Wie lange dauert die Bahnfahrt / der Flug?
Wie viel kostet die Bahnfahrt / der Flug?

nützliche Sätze

Guten Tag, (Firmenname/Name). Was kann ich für Sie tun?
Guten Tag / Hallo, hier spricht ...
Auf Wiederhören.

Hast du schon gehört?

Lieblingsthema

a **Was lesen Sie oder sehen Sie gern, was finden Sie interessant ☺? Was finden Sie langweilig ☹? Markieren Sie in der Tabelle.**

Texte	Bücher/Filme	Geschichten
über Politik	über Reisen	über die Familie
über Computer ☹	über Liebe	über Freunde ☺
über Gesundheit	über interessante Menschen	über die Arbeit
über Psychologie		über Reisen
über Sport ☺	Krimis ☺	über Partys ☺
über Mode	über Kunst	über Tiere / ...

b **Lesen Sie. Was findet Valentina interessant?**

Valentina: Politik finde ich langweilig, aber ich lese gern Texte über Psychologie. Ich mag auch Krimis. Die sehe ich auch gern im Fernsehen. Ich treffe auch oft meine Freunde im Café. Dann erzählen wir Geschichten über unsere Familie und unsere Arbeit. Ich erzähle sehr gern, aber ich höre auch gern zu.

c **Schreiben Sie einen Text mit Ihren Ideen aus a.**

Texte über Computer finde ich langweilig, aber Texte über Sport finde ...
Ich lese/sehe gern ... Ich treffe auch ... meine Freundin / meine ...
Dann erzählen wir Geschichten über ...

d **Partnerarbeit.**
Lesen Sie und sprechen Sie.

Texte über Computer finde ich langweilig, aber Sport finde ich interessant.

Texte und Bücher über Sport lese ich auch gern.

- *über Medienkonsum sprechen*
- *über Regeln sprechen*
- *über Vorlieben sprechen*
- *Vorschläge machen*

GRAMMATIK
- Perfekt mit *sein*
- Frageartikel *welch-* und Demonstrativartikel *dies-* im Nominativ, Akkusativ und Dativ
- Präposition *ohne*
- Verben mit Dativ
- Personalpronomen im Dativ
- Präposition *gegen*
- Modalverb *sollen*
- Zeitangaben

WORTSCHATZ
- Medien
- Feste und Feiern
- Kleidung

AB **A1 Zeitunglesen im Büro**

a **Notieren Sie Ihre persönlichen Antworten in der Tabelle.**

Was?	Wann? Wie lange? Wie oft?	Wo?
ich lese Zeitung	jeden Tag (___ Minuten/Stunden)	zu Hause auf dem Sofa
ich sehe fern	am Wochenende (_____)	im Bus
ich höre Radio	drei- bis viermal pro Woche (_____)	im Büro
ich surfe im Internet	nie	auf der Parkbank
…	…	…

b **Partnerarbeit. Fragen Sie und antworten Sie.**

Liest du gern Zeitung oder surfst du lieber im Internet?
Hörst du gern Radio oder … lieber …?

Wann liest du Zeitung?
Wie lange surfst du im Internet?
Wie oft …?

Wo liest du gern Zeitung?
Wo surfst du gern?

Siehst du gern fern oder hörst du lieber Radio?

Ich sehe lieber fern.

Wann …?

…mal
einmal
zweimal
dreimal

▶ 2|36 c **In einem Internetforum. Lesen Sie und hören Sie. Finden Sie dann die Antworten zu den Fragen 1–3 im Text.**

Bald arbeitslos?

Jako28: Erich ist ein Kollege von mir. Heute hatte er Probleme mit dem Chef. Er hat im Büro Zeitung gelesen. Unser Chef hat das gesehen und war sehr wütend. Jetzt ist Erich nervös, denn er glaubt, er verliert bald seinen Arbeitsplatz. Aber ich denke, Zeitunglesen im Büro ist doch kein Problem. Was meint ihr?

1 Wer hatte Probleme mit seinem Chef?
2 Warum hatte die Person Probleme?
3 Was ist die Meinung von Jako28 zu dem Problem?

▶ 2|37 d **Lesen Sie und hören Sie jetzt die Antworten. Wer denkt so wie Jako28, wer denkt anders, wer will mehr Informationen? Ergänzen Sie.**

Gast 2183: Also Zeitunglesen im Büro ist verboten[1], das ist doch klar. Euer Chef hat recht. Ihr bekommt euer Geld für eure Arbeit und nicht für das Zeitunglesen.

Jana Glück: So einfach ist es nicht. Es muss in der Firma klare Regeln geben. Was ist erlaubt[2] und was ist verboten? Die Regeln müssen alle kennen. Gibt es bei euch klare Regeln?

Gast 3659: Wir haben auch so ein Problem. Ein paar[3] Kollegen surfen immer im Internet. Deshalb haben wir anderen viel mehr Arbeit. Das ist nicht richtig.

Max: Hört doch mit der Diskussion auf! Zeitunglesen im Büro – da darf man nicht sofort den Job verlieren. Manchmal gibt es nicht so viel Arbeit. Man darf auch einmal Pause machen und Zeitung lesen!

[1] man darf das nicht [2] man darf das [3] nicht viele

__________ denkt wie Jako28, __________ und __________ denken anders, __________ will mehr Informationen.

e **Zeitunglesen im Büro? Was meinen Sie? Sprechen Sie.**

Ich denke, man darf …

AB A2 Das ist nicht erlaubt

a **Lesen Sie die Texte 1–4 und ergänzen Sie das Perfekt mit *sein*. Was passt? Ordnen Sie zu.**

~~gefahren~~ geschwommen gegangen gekommen

A 

B 

C 

D 

1 Ich (fahren) ___bin___ bei Rot über die Kreuzung ___gefahren___.
Ein Polizist hat mich gesehen.
2 Philipp (gehen) ________ am Wochenende ins Kino
________________ und hat einen Film für Erwachsene gesehen.
Aber er ist erst vierzehn Jahre alt.
3 Wir haben auf dem Balkon gegrillt. Der Vermieter (kommen)
________________.
4 Markus und Arno (schwimmen) ________ gestern im Fluss
________________. Aber niemand hat sie gesehen.

Perfekt mit *sein*

Ich bin bei Rot über die Kreuzung gefahren.
auch: gehen – gegangen
kommen – gekommen
schwimmen – geschwommen
fliegen – geflogen

8-41 b **Hören Sie die Geschichten aus a. Wer hatte Glück ☺, wer hatte kein Glück ☹? Ergänzen Sie ☺ oder ☹.**

Geschichte 1: Geschichte 2: Geschichte 3: Geschichte 4:

c **Schreiben Sie Fragen zu den Verboten wie im Beispiel und sprechen Sie.**

1 bei Rot über die Kreuzung gehen (ist gegangen) Bist du schon einmal bei Rot über die Kreuzung gegangen?
2 mit dem Auto zu schnell fahren (ist gefahren) ...
3 mit dem Fahrrad auf der Autobahn fahren (ist gefahren) ...
4 um Mitternacht auf der Straße laut singen (hat gesungen) ...
5 auf der Straße Fußball spielen (hat gespielt) ...

Bist du schon einmal bei Rot über die Straße gegangen?

Ja. Aber ich hatte Glück.

AB A3 Freizeit

a **Was machen die Deutschen in ihrer Freizeit? Beschreiben Sie die Grafik.**

fernsehen – jeden Tag	94 %
Radio hören – jeden Wochentag	76 %
Zeitung lesen – jedes Wochenende	71 %
im Internet surfen – jeden Tag	51 %
spazieren gehen – jede Woche zweimal	28 %
Fahrrad fahren – jede Woche einmal	11 %

94 Prozent sehen jeden Tag fern.

b **Was machen Sie jeden Tag / jede Woche ...? Schreiben Sie.**

fernsehen im Internet surfen Musik hören Fahrrad fahren spazieren gehen wandern ...

Jedes Wochenende fahre ich Fahrrad. Jede ...

Wie oft ...?
jeden • Tag/Montag/...
jedes • Wochenende
jede • Woche

c **Partnerarbeit. Wie war es letzte Woche /...? Was wollen Sie nächste Woche /... tun? Sprechen Sie mit den Informationen aus a.**

Jedes Wochenende fahre ich Fahrrad.
Letztes Wochenende bin ich 40 km gefahren.
Nächstes Wochenende ...

Wann?
letzten/nächsten • Monat
letztes/nächstes • Wochenende
letzte/nächste • Woche

AB B1 Geschenke

▶ 2|42 **a Partnerarbeit. Was glauben Sie? Wann sind die Feste? Gibt es da Geschenke? Sprechen Sie und ergänzen Sie die Tabelle. Hören Sie dann und vergleichen Sie.**

... März oder April 24., 25. und 26.12. Januar und Februar 31.12. / 1.1.

A B C

D E

Fest	Foto	Datum	Geschenke
1 Weihnachten			
2 Silvester / Neujahr			
3 Karneval / Fasching			
4 Ostern			
5 Geburtstag			

Weihnachten ist am ... Ich glaube, da gibt es Geschenke.

Wann ist dein Geburtstag?

Am ...

b Sehen Sie das Bild an. Wie finden Sie Ottos Lederhose und seinen Hut?

• Lederhose
• Hut

▶ 2|43 **c Hören Sie. Was ist richtig? Lesen Sie und kreuzen Sie an.**

1 Ottos Lederhose und sein Hut sind ☐ ein Geburtstagsgeschenk. ☐ ein Sonderangebot aus dem Supermarkt. ☐ Kleider von Monikas Exfreund.
2 Monika ist ☐ Ottos Ehefrau. ☐ Ottos Freundin. ☐ eine Verwandte von Otto.
3 Otto hat ☐ im Karneval Geburtstag. ☐ am zweiten sechsten Geburtstag. ☐ nächsten Monat Geburtstag.
4 Otto findet die Lederhose und den Hut ☐ toll. ☐ nicht besonders schön. ☐ sehr teuer.
5 Rico denkt, Ottos Lederhose ist ☐ neu. ☐ ein Karnevalskostüm. ☐ ein Geschenk.

▶ 2|43 **d Hören Sie noch einmal und ergänzen Sie.**

~~gefällt~~ gehört gefällt gefällt ~~dir~~ dir dir mir

1 „Gefällt dir die Lederhose?" = Wie findest du die Lederhose?
2 „__________ der Hut auch ________?" = Ist das auch dein Hut?
3 „__________ er ________ auch nicht?" = Findest du ihn auch nicht gut?
4 „Er __________ ________ auch nicht." = Ich finde ihn auch nicht gut.

Verben mit Dativ
Der Hut gefällt/gehört mir.

Nominativ	Dativ
ich	mir
du	dir
er	ihm
es	ihm
sie	ihr
wir	uns
ihr	euch
sie/Sie	ihnen/Ihnen

AB B2 Das ist nicht mein Stil

▶ 2|44, 45 **a Hören Sie und markieren Sie den Artikel (• • • •). Sprechen Sie dann nach.**

• Hemd, -en

○ Pullover, -

○ Sommerhose, -n

○ Tanzschuhe

○ Jeans, -

○ Lederhose, -n

○ Kleid, -er

○ Jacke, -n

○ Mantel, ¨-

○ Abendkleid, -er

○ Sportschuhe

○ T-Shirt, -s

b **Partnerarbeit. Wem gefällt was? Sprechen Sie wie im Beispiel und schreiben Sie Sätze mit *uns*.**

1 • Gefallen dir Lederhosen?
■ Nein, Lederhosen gefallen mir überhaupt nicht.
• Mir auch nicht.

2 • Gefällt dir das Hemd?
■ Ja, es gefällt mir.
• Mir auch.

Uns gefallen Lederhosen überhaupt nicht. Das Hemd gefällt uns gut.

AB B3 Welches Geschenk für ...?

2|46 **a** **Jakob möchte Lea etwas schenken. Was mag Lea? Hören Sie und kreuzen Sie an.**

☺ Musik:	☐ Pop und Jazz	☐ klassische Musik	☐ Jakob weiß das nicht.
☺ Sänger/Sängerin:	☐ Jamie Cullum	☐ Cecilia Bartoli	☐ Jakob weiß das nicht.
☺ Bücher:	☐ Krimis	☐ Bücher über moderne Kunst	☐ Jakob weiß das nicht.
☺ Urlaubsland:	☐ Frankreich	☐ Italien	☐ Jakob weiß das nicht.
☺ Film:	☐ Liebesfilme	☐ Horrorfilme	☐ Jakob weiß das nicht.
☺ Hobby:	☐ Tennis	☐ Kochen	☐ Jakob weiß das nicht.

b **Welches Geschenk will Jakob am Ende für Lea kaufen?**

2|46 **c** **Hören Sie noch einmal und ergänzen Sie die Fragen. Markieren Sie dann Nominativ (N) oder Akkusativ (A).**

1 W_elche_ M_usik_ mag sie? X
2 W______ S______ gefällt ihr?
3 W______ S______ gefällt ihr?
4 W______ B______ liest sie gern?
5 W______ Urlaubsl______ gefällt ihr besonders gut?
6 W______ O______ mag sie denn?
7 W______ F______ sieht sie gern?
8 W______ H______ hat sie?

welch-

Nominativ	Akkusativ
welcher • Ort	welchen • Ort
welches • Hobby	
welche • Musik	
welche • Bücher	

d **Schreiben Sie ein Kurzporträt für eine Person. Wie heißt sie? Was gefällt ihr? Notieren Sie die Informationen.**

Name: ...
Urlaubsland/Urlaubsort: ...
Film: ...
Hobby: ...
Musik: ...
Bücher: ...

e **Partnerarbeit. Fragen Sie und finden Sie das richtige Geschenk für die Person.**

• Welches Urlaubsland gefällt ihr? ■ ...
• Welchen ... ■ ...
• Schenk ihr doch ...

AB B4 Geschenke auspacken

2|47-50 **a** **Hören Sie. Was glauben Sie. Was ist das Geschenk? Schreiben Sie.**

1 ____________ 2 ____________ 3 ____________ 4 ____________

2|51 **b** **Hören Sie und vergleichen Sie.**

ohne + Akk.
ohne den Mantel
ohne ihn

c **Rätsel. Was schenken Sie? Schreiben Sie wie im Beispiel. Lesen Sie dann, die anderen raten.**

• Mantel • T-Shirt • Fahrkarten • CD • Fotoapparat • Koffer • Fahrrad • Kugelschreiber (Pl.) • Fernsehgerät • Handy • Rucksack • Gitarre • Stuhl ...

Er ist modern.
Du kannst mit ihm ...
Er ist braun.
Ohne ihn kannst du nicht ...

Er/Es/Sie ist warm/braun/... | Man schreibt/spielt/macht ...
mit ihm/ihr/ihnen ... | Manche / Viele Menschen finden ihn/es/sie ...
Du kannst ihn/es/sie ... anziehen/tragen/einschalten/...
Du brauchst ihn/es/sie/sie ... für / im ... | Du kannst mit ihm/ihr/ihnen ...
Ohne ihn/sie kannst du nicht ... | Du kannst auf ihm/ihr/ihnen liegen /...

C

AB C1 Kaffeeschokolade

▶ 2|52 **a Was ist eine Wandersage? Lesen Sie die Information. Hören Sie und lesen Sie die Geschichte. Karla hat im Zug Schokolade gegessen. War es ihre Schokolade?**

Jemand hört eine interessante Geschichte. Er findet sie gut und erzählt sie seinem Freund. Der Freund erzählt die Geschichte weiter, aber er erzählt sie ein bisschen anders … Eine Wandersage ist geboren.

Kaffeeschokolade

Meine Freundin Karla ist mit dem Zug nach München gefahren. Vor der Fahrt hat sie Kaffeeschokolade gekauft, ihre Lieblingssorte. Im Zug hat sie Zeitung gelesen und dann ein bisschen geschlafen. Nach einer Viertelstunde war Karla wieder wach[1]. Neben ihr hat eine alte Frau gesessen und Schokolade gegessen, … Kaffeeschokolade! Meine Freundin 5 hat gedacht: „Das ist doch meine Schokolade. Soll ich etwas sagen? Soll ich der Frau die Schokolade wegnehmen?" Aber sie hat dann doch nichts gesagt. Karla und die Frau haben dann die Schokolade gemeinsam gegessen. Die alte Frau war freundlich, sie hat Karla für die Schokolade aber nicht gedankt[2].
In München ist meine Freundin zu mir gefahren. Da hat sie ihre Tasche geöffnet. Was, meinst du, war in der Tasche? … Ihre Schokolade!!

[1] nicht schlafen [2] Danke sagen

jemand = eine Person

b Wie steht es im Text? Ordnen Sie und schreiben Sie wie im Beispiel. Erzählen Sie dann die Geschichte.

___ hat / Vor der Fahrt / sie / Kaffeeschokolade / gekauft
___ gemeinsam / gegessen / Sie / haben / die Schokolade
_1_ ~~mit dem Zug nach München~~ / ~~ist~~ / ~~Meine Freundin Karla~~ / ~~gefahren~~
___ gefunden / ihre Schokolade / in der Tasche / Karla / hat
___ neben ihr gesessen / Eine Frau / hat / und Kaffeeschokolade gegessen
___ hat / sie / ein bisschen geschlafen / Im Zug

1 Meine Freundin Karla ist mit dem Zug nach München gefahren. …

Meine Freundin Karla ist mit dem Zug …

AB C2 Was soll … tun?

a Was ist das Problem? Was passt? Schreiben Sie die Fragen wie im Beispiel.

~~im Geschäft / im Internet kaufen~~ im Sommer / im Winter nach Ägypten fliegen
ein Auto kaufen / das Geld zur Bank bringen

1 Andrea will Schuhe kaufen. Im Geschäft kosten sie 65 €, im Internet 60 €.
Soll Andrea die Schuhe im Geschäft oder im Internet kaufen?
2 Georg ist Student. Er hat im Sommer gearbeitet und hat jetzt 3000 €.
___
3 Sandra und Michael Roßmann wollen nach Ägypten fliegen. Im Sommer sind in Ägypten 36 Grad, im Winter 19 Grad. ___

	sollen
ich	soll
du	sollst
er/es/sie	soll
wir	sollen
ihr	sollt
sie/Sie	sollen

b Was sollen die Personen aus a tun? Schreiben Sie.

im Winter nach Ägypten fliegen die Schuhe im Geschäft kaufen das Geld zur Bank bringen

1 Andrea braucht die Hilfe von einer Verkäuferin. Deshalb soll sie die Schuhe i…
2 Georg braucht kein Auto. Deshalb …
3 Sandra und Michael Roßmann wollen Sehenswürdigkeiten besichtigen. Deshalb …

c Fragen im Alltag. Sammeln Sie und machen Sie Notizen.

aufstehen oder im Bett bleiben?
Pullover oder T-Shirt anziehen?
Kaffee oder …
im Restaurant essen oder …
…

d Schreiben Sie einen Text wie im Beispiel mit Ihren Ideen aus c.

Soll ich Frühstück machen oder im Bett bleiben?
Soll ich Freunde treffen oder zu Hause bleiben?
Soll ich im Restaurant essen oder etwas kochen?
Soll ich fernsehen oder einen Ausflug machen?
So viele Fragen – und das am Sonntag! –
Das mag ich nicht!

AB C3 Das mysteriöse Foto

2|53 **a** **Hören Sie und lesen Sie den Text. Was glauben Sie? Kann die Geschichte wahr sein?**

Seit Mai haben Sophie und Alexander ihr Auto. Es ist ganz neu. Ab zehnten Juni hat Alexander frei. Am fünfzehnten möchten sie gemeinsam nach Spanien fahren. Auch im Februar waren sie gemeinsam im Winterurlaub. (5) Das war vor vier Monaten. In Sophies Kamera sind noch Fotos aus dem Urlaub. Einen Tag vor der Spanienreise speichert sie diese Fotos von der Kamera auf ihrem Laptop. Dann geht es los. Alexander fährt schnell, zu schnell. In Spanien kann er den Wagen nicht auf der Straße halten und fährt gegen einen Baum. Sophie (10) muss von Juni bis September im Krankenhaus bleiben, drei lange Monate. Alexander kann nach drei Wochen zurück nach Deutschland fahren. In Sophies Laptop findet Alexander die Fotos vom Winterurlaub. Doch ein Foto ist anders: Auf dem Foto ist es nicht Winter, es ist Sommer. Man sieht eine Straße in Spanien. Ein Auto ist gegen einen Baum gefahren, und dieses Auto ist ihr Auto! Auch das Datum stimmt: Jemand hat am fünfzehnten Juni um 16:00 Uhr ein Foto (15) von ihrem kaputten Auto gemacht.

b **Lesen Sie den Text noch einmal und ordnen Sie die Sätze 1–7 den Zeitangaben zu.**

1 ~~Sophie und Alexander bekommen ihr Auto.~~
2 Alexander hat frei.
3 Sophie und Alexander sind im Winterurlaub.
4 Sophie speichert die Fotos vom Winterurlaub auf ihrem Laptop.
5 Alexander fährt mit dem Auto gegen einen Baum.
6 So lange muss Sophie im Krankenhaus bleiben.
7 Alexander fährt zurück nach Deutschland.

Wann?	Februar	Mai	10. Juni	14. Juni	15. Juni	6. Juli	Juni–September
Satz		1					

gegen + Akk.
gegen einen • Baum

dies-
dieser • Baum
dieses • Auto
diese • Straße
diese • Fotos

Wann?
vor vier Wochen
nach drei Wochen

c **Suchen Sie die Informationen im Text und schreiben Sie Fragen wie im Beispiel.**

~~seit Mai / Seit wann~~ ab 10. Juni / Ab wann am 15. 6. / Wann im Februar / Wann
einen Tag vor der Reise / Wann drei Monate / Wie lange nach drei Wochen / Wann

Seit wann haben Sophie und Alexander ihr Auto? Sie haben ihr Auto seit Mai. Wann ...

Seit wann?
seit Mai

Ab wann?
ab zehnten Juni

C4 Und jetzt Sie

a **Was glauben Sie? Was passt wo? Ordnen Sie zu.**

1 Ich arbeite ______ .
2 Ich lerne ______ Deutsch.
3 ______ mache ich Sport.
4 Ich fahre ______ nach Frankreich.
5 Ich habe ______ als Kellner gearbeitet.

a im Herbst
b seit sechs Wochen
c von 8:00 Uhr bis 16:00 Uhr
d vor zwei Jahren
e ab Montag

2|54 **b** **Hören Sie und vergleichen Sie.**

c **Partnerarbeit. Schreiben Sie persönliche Sätze und Zeitangaben wie in a. Zeigen Sie sie Ihrer Partnerin / Ihrem Partner. Lesen Sie und sprechen Sie dann.**

1 • Ich glaube, du ...
■ Richtig.

2 • Ich glaube, du ...
■ Nein, falsch.

Grammatik

Verb

Perfekt mit *sein*

	sein	Partizip
ich	bin	gefahren, gekommen, geflogen, geschwommen, ...
du	bist	
er/es/sie	ist	
wir	sind	
ihr	seid	
sie/Sie	sind	

Präsens – Modalverb *sollen*

	sollen
ich	soll
du	sollst
er/es/sie	soll
wir	sollen
ihr	sollt
sie/Sie	sollen

Verben mit Dativ

Der Hut gefällt mir.

auch gehören, schmecken ...

Nomen

Frageartikel *welch-*

	Nominativ	Akkusativ	Dativ
Singular			
• maskulin	welcher Ort	welchen Ort	welchem Ort
• neutral	welches Hobby		welchem Hobby
• feminin	welche CD		welcher CD
Plural			
•	welche Bücher		welchen Büchern

Demonstrativartikel *dies-*

	Nominativ	Akkusativ	Dativ
Singular			
• maskulin	dieser Baum	diesen Baum	diesem Baum
• neutral	dieses Auto		diesem Auto
• feminin	diese Straße		dieser Straße
Plural			
•	diese Geschichten		diesen Geschichten

Personalpronomen – Dativ

Nominativ	Dativ
ich	mir
du	dir
er	ihm
sie	ihr
es	ihm

Nominativ	Dativ
wir	uns
ihr	euch
sie	ihnen
Sie	Ihnen

Präposition

temporal *(wann?)* – *vor* + Dativ

vor einem	• Monat
vor einem	• Jahr
vor einer	• Woche
vor zwei	• Monaten

temporal *(wann?)* – *nach* + Dativ

nach einem	• Monat
nach einem	• Jahr
nach einer	• Woche
nach	• Monaten

temporal *(seit wann?)* – *seit* + Dativ

seit einem	• Monat
seit einem	• Jahr
seit einer	• Woche
seit zwei	• Monaten

ohne Artikel seit Mai/1971/Montag

temporal *(ab wann?)* – *ab* + Dativ

ab Montag / ab zehnten Juni

modal *(wie?)* – *ohne* + Akkusativ

ohne den/einen/deinen	• Rucksack
ohne das/ein/dein	• Fahrrad
ohne die/eine/deine	• Gitarre
ohne die/–/deine	• Fahrkarten

ohne Artikel ohne • Rucksack, ohne • Fahrrad, ohne • Gitarre, ohne • Fahrkarten

lokal – *gegen* + Akkusativ

gegen den/einen/...	• Baum
gegen das/ein/...	• Haus
gegen die/eine/...	• Tür
gegen die/–/...	• Türen

Redemittel

über Vorlieben sprechen

Gefällt/Gefallen dir/Ihnen ...? | Nein, ... gefällt/gefallen mir (überhaupt) nicht. Ja, ... gefällt/gefallen mir (sehr) gut.

nützliche Sätze

Bist du / Sind Sie schon ... gefahren/...?
Hast du / Haben Sie schon ... gemacht/...?
Ich hatte Glück / kein Glück.

über Medienkonsum sprechen

Wie oft liest du / lesen Sie ...? | Jeden Tag. Wann hast du / haben Sie Zeitung/... gelesen / ...? | Letzte Woche. | Wann siehst du den Film an? | Nächste Woche.

über Regeln sprechen

Ich denke, man darf (nicht) ...
Darfst du / Dürfen Sie ...?

etwas beschreiben

Er/Es/Sie ist warm/braun/...
Man schreibt/spielt/... mit ihm/ihr ...
Du kannst ihn/es/sie anziehen/...
Du brauchst ihn/es/sie für ... / im ...
Du kannst mit ihm/ihr laufen / ...
Ohne ihn/sie kannst du nicht ...

nachfragen

Soll ich ...

Im Deutschkurs

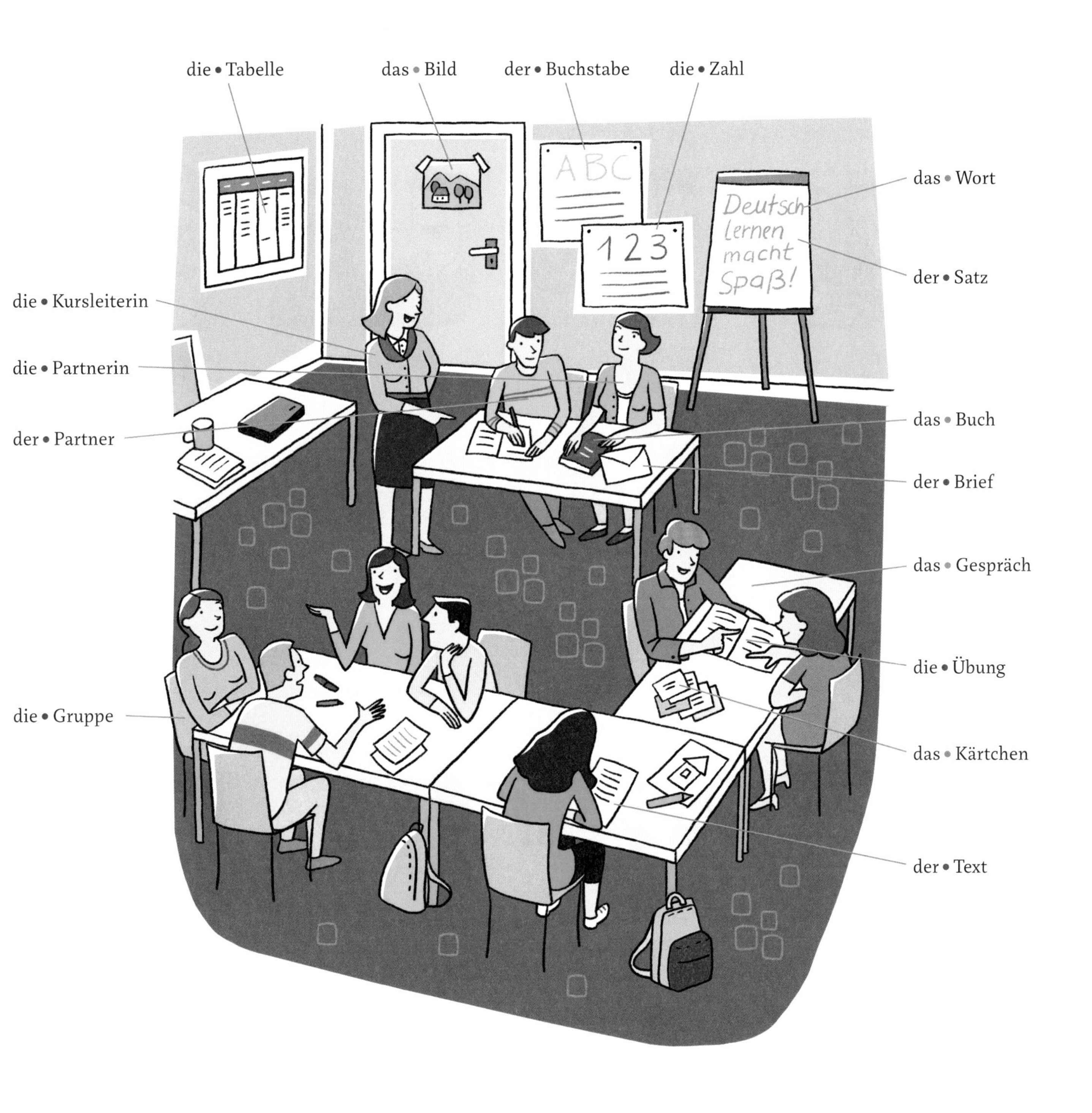

Was sagt Ihre Kursleiterin / Ihr Kursleiter?

Sprechen Sie.

Schreiben Sie.

Lesen Sie.

Hören Sie.

Partnerarbeit:
Arbeiten Sie zu zweit.

Gruppenarbeit:
Arbeiten Sie in der Gruppe.

Fragen und antworten Sie.

Ergänzen Sie.

Kreuzen Sie an.

Ordnen Sie zu.

Markieren Sie.

Vergleichen Sie.

Wie bitten Sie um Hilfe?

Ich verstehe das nicht.

Wie schreibt man das?

Wie heißt ... auf Deutsch?

Was heißt das?

Wie spricht man das aus?

Was sollen wir tun?

Bitte helfen Sie mir.

Quellenverzeichnis

Cover: Hochhaus © Getty Images/Martin Diebel; Luftballons © fotolia/beerfan

S. 5: oben: A © irisblende, B © Thinkstock/iStock/alexskopje, C © iStock/andyd, D © Thinkstock/iStock/Coast-to-Coast, E © Thinkstock/iStock/Andreas Weber, F © Thinkstock/iStock/Lance Bellers, G © Thinkstock/Hemera, H © Thinkstock/iStock/Gajus, I © Jürgen Prautsch/fotolia.com, J © Thinkstock/Stockbyte; Mitte: Kaffee © fotolia/Stocksnapper, Posthorn © Thinkstock/iStock/ivansmuk, Gitarre © iStockphoto/Rouzes; unten: 1 © iStockphoto/asbe, 2 © iStockphoto/ZoneCreative, 3 © Thinkstock/iStockphoto/Vlad Kochelaevskiy, 4 © iStockphoto/Sjo, 5 © Thinkstock/iStock/Pryshchepa Serii

S. 7: oben: © Thinkstock/iStockphoto/Olga Canals; Flaggen Mitte: © fotolia/createur; unten: 1 © iStockphoto/falcatraz, 2 © Thinkstock/iStock/Linzy Slusher, 3 © Thinkstock/iStockphoto/gpointstudio, 4 © Thinkstock/Fuse

S. 8: Weltkarte © Thinkstock/iStockphoto; Uhr © iStockphoto/mevans

S. 9: oben: © Thinkstock/iStock/fsettler; Mitte © Hueber Verlag/Florian Bachmeier; unten: © iStockphoto/gerenme

S. 10: Kugelschreiber © iStockphoto/phant; Lampe © Thinkstock/iStock/Ljupco; Papier © Thinkstock/iStock/kyoshino; Stuhl © iStockphoto/IlexImage

S. 11: 1 © Thinkstock/Hemera/Mikhail Kalakutskiy; 2, 3, 5 und 6 © Hueber Verlag; 4 © Thinkstock/iStock/poligonchik

S. 13: Rio de Janeiro © Thinkstock/iStock/Luiz Rocha Rocha; Marianne © Thinkstock/iStockphoto/Arie J. Jager; Altstadt (Luxemburg) © Thinkstock/Top Photo Group; Gernot und Silvia © iStockphoto/theboone; Großstadt (Tokio) © Thinkstock/Photodisc; Andrea © Thinkstock/Stockbyte; Susanne © iStockphoto/TriggerPhoto

S. 14: oben von links: © eyeQ/fotolia.com, © iStockphoto/hidesy, © Thinkstock/iStock/Paul Vasarhely; Geige © iStockphoto/pixhook; Tennisschläger © Thinkstock/Hemera; Wanderstiefel © Thinkstock/iStock/changered; Superheld © Thinkstock/iStock/kennykiernan; Mitte: a © PantherMedia/Martin Kosa, b © Hueber Verlag, c © iStockphoto/Jan-Otto, d © fotolia/Michael Flippo, e © Thinkstock/iStockphoto/tyler olson, f © iStockphoto/leezsnow, g © fotolia/alphaspirit, h © fotolia/Snezana Skundric, i © contrastwerkstatt/fotolia.com, j © Sven Vietense/fotolia.com; unten links: © Thinkstock/Design Pics; unten rechts: © Thinkstock/Polka Dot/IT Stock

S. 16: A von links: © Thinkstock/iStock/Leslie Banks, © Thinkstock/iStock/Oleksandr Koval, © Thinkstock/iStock/xyno, © Thinkstock/Valueline; B von links: © Thinkstock/Monkey Business Images, © Thinkstock/iStock/Oleksandr Koval, © Thinkstock/Hemera; C von links: © iStockphoto/quavondo, © Thinkstock/iStock/Oleksandr Koval, © Thinkstock/Hemera, Karte © Digital Wisdom, © Thinkstock/Hemera; unten: Cover „Fernliebe“ von Ulrich Beck und Elisabeth Beck-Gernsheim © Suhrkamp Verlag

S. 18: oben: Schiff © Horst Schmidt/fotolia.com, Freunde © iStock/Lise Gagne, Sonnenuntergang © Thinkstock/Zoonar/Zoonar RF, Kabine © Thinkstock/iStock/bbossom; unten von oben links: © Thinkstock/Wavebreak Media/Wavebreakmedia Ltd, © Thinkstock/iStockphoto/CandyBox Images, © Thinkstock/Creatas, © iStockphoto/DianaLundin, © Thinkstock/Photodisc, © iStockphoto/vgajic, © Thinkstock/Photodisc/Digital Vision, © contrastwerkstatt/fotolia.com, © fotolia/Mike Thompson, © Thinkstock/iStockphoto/Oleksandr Kalinichenko,© fotolia/contrastwerkstatt, © Thinkstock/Digital Vision

S. 21: oben: Gemüse © fotolia/Tomo Jesenicnik, Wohnung © Thinkstock/iStockphoto/victor zastol'skiy, Handys © Thinkstock/iStock/scanrail, Oldtimer © Thinkstock/iStockphoto/Sascha Burkard, Weltreise © Shotshop.com/Gerd Wolpert; Mitte © fotolia/Stephan Koscheck; unten: © Thinkstock/iStock/mediaphotos

S. 22: 2 © Gina Sanders/fotolia.com; 3 © Thinkstock/Lifesize

S. 23: oben: 1 © Thinkstock/iStockphoto/Al Parrish, 2 © Thinkstock/iStockphoto/Julián Rovagnati, 3 © Thinkstock/Stockbyte, 4 © iStockphoto/raclro, 5 © iStockphoto/PetrePlesea, 6 © Thinkstock/Hemera, 7 © iStockphoto/Rouzes, 8 © iStockphoto/Jitalia17, 9 © iStockphoto/simonkr, 10 © fotolia/terex, 11 © Thinkstock/iStockphoto/Urs Siedentop, 12 © Thinkstock/iStockphoto/thumb; Stuhl unten: © iStockphoto/IlexImage; Radio unten: © Thinkstock/iStockphoto/Sjo

S. 24: a © Thinkstock/iStockphoto/Antonio Scarpi; b © iStockphoto/ALEAIMAGE; c © iStockphoto/ZoneCreative; d © iStockphoto/KateLeigh; e © iStockphoto/Sedneva Anna; f © Thinkstock/iStock/mayamo; g © Thinkstock/iStockphoto/Alena Dvorakova; h © iStockphoto/duncan1890; i © fotolia/Liddy Hansdottir; j © fotolia/gtranquillity; k © fotolia/objectsforall; l © Thinkstock/iStockphoto/Viktar Malyshchyts; m © Thinkstock/iStock/ulkan; n © Thinkstock/iStockphoto/Olga Popova; o © Thinkstock/iStock; p © fotolia/Leonid Nyshko; q © Thinkstock/iStockphoto/atoss; r © fotolia/seen; s © PantherMedia/tom scherber; t © Thinkstock/iStockphoto/Natikka; u © fotolia/Aleksejs Pivnenko; v © Thinkstock/iStockphoto/Iaroslav Danylchenko; w © Thinkstock/iStock; x © fotolia/Fatman73; Kühlschrank © Thinkstock/iStock/Egidijus Skiparis; Paar © Thinkstock/iStock/kadmy

S. 25: oben von links: © Thinkstock/iStock/Dean Mitchell, © Thinkstock/iStock/Johnny Greig, © fotolia/Taffi, © iStockphoto/MorePixels, © Thinkstock/Hemera, © Thinkstock/iStock/Ina Peters; Mitte: © Thinkstock/iStockphoto/Juri Samsonov

S. 26: 1 © Thinkstock/iStock/Taylor Hutchens; 2 © Thinkstock/iStock/Alexander Raths; 3 © iStockphoto/Stalman; A © PantherMedia/Kerstin Hennig; B © Thinkstock/Hemera; C © fotolia/Markus Schieder; unten von oben: © Thinkstock/iStock/Toru Uchida, © Thinkstock/iStock/Joe Gough, © Thinkstock/iStock/sumnersgraphicsinc, © Thinkstock/Hemera

S. 27: oben: 1. Spalte von oben: © Thinkstock/iStock/Evgeny Karandaev, © Thinkstock/iStock/elena moiseeva, © Thinkstock/iStock/Ivan Mateev; 2. Spalte von oben: © Thinkstock/iStock/Lauri Patterson, © Thinkstock/iStock/karandaev; 3. Spalte von oben: © Thinkstock/iStock/Ruslan Olinchuk, © Thinkstock/iStock/Juanmonino, © vertmedia Martin R./fotolia.com, © Thinkstock/Hemera/Alexey Ukhov; Mitte von oben links: © Thinkstock/iStock/mayamo, © fotolia/Laura Jeanne, © Thinkstock/iStock/Ruslan Olinchuk, © Thinkstock/iStock/

Joe Gough, © fotolia/Leonid Nyshko, © fotolia/Liddy Hansdottir, © Thinkstock/iStockphoto/Yong Hian Lim, © fotolia/Aleksejs Pivnenko, © fotolia/Fatman73, © Thinkstock/iStock/Noam Armonn, © Thinkstock/iStockphoto/Antonio Scarpi , © Thinkstock/iStock/ulkan, © Thinkstock/iStockphoto/Iaroslav Danylchenko, © Thinkstock/iStock/Ljupco, © fotolia/gtranquillity, © fotolia/Stocksnapper; unten © Thinkstock/iStock/olaf herschbach

S. 28: Menschenmenge © Thinkstock/iStock/MACIEJ NOSKOWSKI; Mann mit Kaffee © fotolia/Roberto Serratore; Straßenkünstler © Thinkstock/Zoonar; Open-Air-Kino © dpa Picture-Alliance/David Ebener; Frau mit Essen © fotolia/Fa.HenseDesign; Frau unten © Thinkstock/Jack Hollingsworth

S. 30: B © fotolia/contrastwerkstatt

S. 32: links von oben: © Thinkstock/Stockbyte, © Thinkstock/Hemera, © Thinkstock/Purestock, © PantherMedia/auremar; rechts © Thinkstock/Hemera

S. 33: 1 © Thinkstock/Photodisc; 2 © Thinkstock/Digital Vision; 3 © Thinkstock/Hemera; 4 © Thinkstock/Photodisc; 5 © Thinkstock/iStock/Mark Weiss; 6 © Thinkstock/Wavebreakmedia Ltd.

S. 34: A © Thinkstock/Stockbyte; B © Thinkstock/iStock/KRproductions; C © Thinkstock/iStock/Glenda Powers; D © Thinkstock/Digital Vision/Michael Blann; E © Thinkstock/iStock/diego cervo; 1 © Thinkstock/iStock/Alexander Raths; 2 © Thinkstock/iStock/kissenbo; 3 © avarooa/fotolia.com; 4 © Thinkstock/iStock/fotolinchen; Saft © Thinkstock/iStock/Juri Samsonov; große Hose © Thinkstock/iStock/Michal Kowalski

S. 37: oben von links: © Thinkstock/Photodisc, © fotolia/Foto Flare (Icons im Bild: Apotheke © PantherMedia/Corinna F, Haltestelle © fotolia/DeVIce, Restaurant © Thinkstock/iStock/Oleg Babich, Tanzen © fotolia/Isleif Heidrikson, Bahn © fotolia/liotru, Parkplatz © fotolia/Dark Vectorangel, Post © Thinkstock/Hemera/Blaz Kure), © Thinkstock/Monkey Business; unten: © Thinkstock/iStockphoto

S. 38: Pfeile © fotolia/Bergfee; unten von oben: © Thinkstock/iStock/kzenon, © elypse/fotolia.com, © Thinkstock/Ingram Publishing

S. 39: a © Thinkstock/iStock/emirsimsek; b, f, m © fotolia/liotru; c © Thinkstock/iStock/Silmen; d © PantherMedia/Corinna F; e © Thinkstock/iStock/Mervana; g © fotolia/DeVIce; h © Thinkstock/iStock/popcic; i © Thinkstock/iStock/BenMorrisIllustration; j © Thinkstock/iStock/joingate; k © fotolia/Dmitry Skvorcov; l © fotolia/Dark Vectorangel; n © fotolia/T. Michel; Mitte links: © Thinkstock/iStock/Jacob Wackerhausen; Mitte rechts: © Thinkstock/iStock/cloudnumber9

S. 40: 1 © iStockphoto/stphillips; 2 © iStockphoto/simonkr; 3 © Thinkstock/iStockphoto/Al Parrish; 4 © Thinkstock/iStock/wollwerth; 5 © Thinkstock/iStock/james steidl; 6 © Thinkstock/iStockphoto/thumb; 7 © Thinkstock/iStock/Martin Galabov; 8 © iStockphoto/sbayram; 9 © fotolia/terex; 10 © Thinkstock/iStock/Andriy Bandurenko; 11 © Thinkstock/iStock/Maksym Bondarchuk; 12 © iStockphoto/IlexImage; 13 © Thinkstock/iStock/Natalia Lukyanova; 14 © Thinkstock/iStock/Maksym Bondarchuk; 15 © Thinkstock/iStock/Dumitru Zubarciuc; 16 © fotolia/Ericos

S. 41: links: © fotolia/contrastwerkstatt; rechts: Schlüssel © Thinkstock/iStock/Michael Fair, Brille © iStockphoto/deepblue4you, Pass © fotolia/Kaarsten

S. 42: Zürich oben: © Thinkstock/iStock/Christine Draheim; Zürich unten links: © PantherMedia/Federico Belotti; Zürich unten rechts: © shorty25/fotolia.com; Berlin oben © Thinkstock/iStock; Berlin unten links: © Thinkstock/iStock/Aleksandar Ivkovic; Berlin unten rechts: © Thinkstock/iStock/elxeneize; Wien oben © fotolia/Pfluegl; Wien unten links: © Thinkstock/iStock/Dan Breckwoldt; Wien unten rechts: © fotolia/jomare; Mitte: © Thinkstock/Comstock; unten: © Thinkstock/Zeynep Sevde

S. 45: A © Thinkstock/iStock/Ridofranz; B © Thinkstock/Stockbyte; C © Martinan/fotolia.com; D © Thinkstock/Fuse; E © mauritius images/Image Source; unten: © Thinkstock/iStock/Kamil Macniak

S. 46: A © Thinkstock/iStock/fsettler; 1 © Thinkstock/Photodisc; 2 © Thinkstock/Stockbyte; unten © Thinkstock/iStock/Massimo Merlini

S. 48: oben (2 x): © Hueber Verlag; Tattoo oben © Thinkstock/iStock/alexpixel; Tattoo unten © Thinkstock/iStock/Andrey Kopyrin

S. 49: oben: © mkrberlin/fotolia.com

S. 50: links: © Bundesdruckerei; rechts: © Thinkstock/Hemera/Laurent Renault

S. 51: von oben links: © Thinkstock/iStock/borzaya, © Hueber Verlag, © Thinkstock/iStock/Magone, © Thinkstock/iStock/Наталия+Яковлева, © iStockphoto/raclro, © fotolia/womue, © Thinkstock/iStock/coramueller

S. 53: Österreich © fotolia/Christa Eder; Schweiz © Thinkstock/iStock; Flug © Thinkstock/Rolf Fischer; Autobahn © Thinkstock/iStock/Prill Mediendesign & Fotografie; unten: © Thinkstock/Photos.com; Karte © Thinkstock/iStockphoto

S. 54: a © Thinkstock/iStock/Maria Pavlova; b © Thinkstock/Stockbyte; c © iStock/ollo; Mitte links: © fotolia/El Gaucho; Mitte rechts: © Thinkstock/iStock/StockRocket; unten: 1, 5, 6, 7 © fotolia/argentum; 2 © PantherMedia/Stefan Kassal; 3, 4, 8, 9, 10 © Thinkstock/iStock/art12321

S. 55: oben: © Thinkstock/Hemera/Zsolt Nyulaszi; unten links: © fotolia/Dirk Schumann; unten rechts: © Thinkstock/Hemera/Zsolt Nyulaszi

S. 56: links: © Thinkstock/Hemera/Olga Sapegina; rechts: © BananaStock

S. 57: Wetter-Icons © fotolia/Bastetamon; rechts © Thinkstock/iStock/Juanmonino

S. 58: 1 © PantherMedia/Manfred Stöger; 2 © Thinkstock/iStock/PeJo29; 3 © dpa Picture-Alliance/Gerhard Trumler; A © iStockphoto/Stalman; B © Thinkstock/Getty Images/Jupiterimages; C © Thinkstock/Stockbyte/Comstock

S. 59: Schnecken © Thinkstock/iStock/Skystorm; Postkarte Vorderseite © Thinkstock/iStock/Gabriele Maltinti; Rückseite © Thinkstock/iStock/Daniela Pelazza

S. 61: Mädchen und Hund © Thinkstock/Stockbyte; Tablet mit Hand © Thinkstock/iStock/James Thew; Hand mit Fernbedienung © Thinkstock/Fuse; Zeitung lesen © Thinkstock/AbleStock.com/Hemera; Freunde treffen © Thinkstock/Wavebreakmedia Ltd.; unten © Thinkstock/iStock/Cindy Singleton

S. 62: oben: © Thinkstock/iStock/Brian Jackson; unten: © Thinkstock/Digital Vision/Photodisc

S. 64: A © fotolia/Kzenon; B © fotolia/Smileus; C © fotolia/Heinz Waldukat; D © Thinkstock/Stockbyte/BrandXPictures; E © iStockphoto/OGphoto

S. 65: © PantherMedia/Ursula Deja-Schnieder

S. 66: © fotolia/Ideenkoch

S. 67: © Thinkstock/iStock/Janne Ahvo